Wegwezen!

Wegwezen!

Amsterdam · Antwerpen
Em. Querido's Uitgeverij BV
2011

www.queridokinderboeken.nl

Omslagillustratie Harmen van Straten
Omslagontwerp Nancy Koot

ISBN 978 90 451 1243 5 / NUR 277

Inhoud

Martha Heesen
Wegwezen

Ze zijn allemaal weg, echt allemaal. Ze zijn in auto's gaan zitten die tot de nok waren volgestouwd met koffers en kinderen. Ze zijn op zwabberende fietsen gestapt met uitpuilende tassen en opgerolde tentjes en slaapzakken en ook nog een rood geschilderd aanhangwagentje erachter voor de hond. Ze hebben zevenmijlslaarzen aangetrokken en zijn met rammelende pannetjes aan hun rugzak naar het eind van de straat gelopen, waar de wereld begint. Ze zijn allemaal weg. De hele buurt is verlaten.

Hendrik staat midden op straat in de zon met zijn ogen stijf dicht. Hij staat daar al minstens een kwartier (denkt hij, in werkelijkheid is het nog geen minuut) en als hij zijn ogen opendoet is dit zijn conclusie: iedereen is zó verschrikkelijk weg dat je je niet eens meer kunt laten doodrijden, ook al zou je het per se willen.

Hij slentert de steeg weer in en duwt het poortje van Vera's tuin open. 'Weet je,' roept hij, 'dat het hier nu zo verlaten is dat je je niet eens meer kunt laten doodrijden?'

'Hè, wat vervelend nou!' zegt Vera. 'Maar als je nu eens de hele nacht op de weg ging liggen?'

Waarom zegt ze dat? Waarom antwoordt ze nooit eens als een gewoon mens, waarom antwoordt ze niet: 'O, o Héndrik! Zeg niet van die vréselijke dingen! Ik hóú toch van je!' Of zoiets. Maar ja, daar horen dan omhelzingen en zoenen bij, en of hij bestand is tegen omhelzingen en zoenen van Vera, dat weet Hendrik zo net nog niet. Even gluurt hij naar haar bruine rimpelarmen en naar haar tanige gezicht met de grote roodgeverfde mond.

'Als ik werd doodgereden was het jouw verantwoordelijkheid,' zegt hij om iets terug te doen.

'Natuurlijk. Maar jij was dan tenminste van je verveling verlost.'

'Ik verveel me niet.'

'Jij verveelt je een ongeluk! En weet je waarom?'

'Omdat pap en mam me bij jou hebben gedumpt,' bromt Hendrik.

'Pardon?'

'Ik verveel me wel/niet omdat ik bij jou moet/mag logeren, zo goed?'

'Je verveelt je omdat je een leeg hoofd hebt.'

'Een leeg hoofd? Ik een leeg hoofd? Heb je mijn rapport dan niet gezien? Ik heb een ZG voor rekenen! Onder andere!'

'ZG? ZG? Wat is ZG? Zonder Genade? Zeven Gekken? Zouteloze Gozer?'

'Flauw!'

'Je hebt een leeg hoofd, Hendrik, omdat er niet één verhaal in zit.'

8

'Wat moet ik met een verhaal in mijn hoofd terwijl alle anderen...' Hendrik wijst met een boze armzwaai de wereld rond, de wijde wereld waar alle anderen, ook pap en mam, naar onderweg zijn, terwijl hij hier zit, híér, op een omgekeerde vuilnisbak in een overwoekerd achtertuintje in een leeggelopen buitenwijk van een uitgestorven dorp.

'Wat je met een verhaal moet?' vraagt Vera. 'Wegwezen natuurlijk!' Ze nestelt zich in haar rieten stoel. 'Wegwezen. Je hoeft er niet eens je ogen bij dicht te doen. Je neemt bijvoorbeeld een zee, een tamelijk ruwe, paarsblauwe zee en...'

'Ja hoor,' zucht Hendrik.

'...in die zee ligt dan een eiland, een hoog, kaal, rotsachtig eiland. Je zou zeggen, daar leeft niets, op dat eiland, niets, maar als je dichterbij komt in je boot zie je rijen kleine witte en gevlekte gedaanten bewegen over smalle steile paden. Geiten.

Behendig laveer je tussen de verraderlijke stenen door en je legt aan in een kleine zanderige baai. De gladgesleten rotsen rondom zijn zo reusachtig en hebben zulke vreemde vormen dat het voorhistorische beesten lijken, met dreigend opengesperde kaken...'

Hendrik trekt zijn benen op en legt zijn wang tegen zijn knieën. Hij zal maar blijven luisteren; het is niet beleefd om nu weg te lopen. Een gast moet altijd beleefd zijn tegen zijn gastvrouw, zelfs al is de gast bij zijn nekvel gepakt en met koffer en al bij de gastvrouw op de stoep gezet. Tegen zijn zin. En wie weet tegen de hare. Hendrik kijkt naar Vera. Als ze zo tegen de hemel zit te glimlachen lijkt ze helemaal op een clown, vindt hij, een oude, verschrompelde, maar toch wel lieve clown.

'Je trekt je boot een eindje op het droge. Dan begin je rond te kijken en loop je voorzichtig om een van die enorme stenen monsters heen op zoek naar een pad omhoog. Opeens hoor je heel zachte vlugge stappen naderen door het zand. Achter je klinkt een vreemd gesnuif en als je je omdraait kijk je in de snoet van een zwarte ezel.'

'Een ezel?' vraagt Hendrik. 'Je had het toch over geiten? En ezels zijn niet zwart, en trouwens...'

'Een ezel, een prachtige zwarte ezel met witte kringen rond zijn ogen, en een witte neus. Hij is niet alleen. Naast hem staat een man – hij is nauwelijks groter dan jij, maar het is een volwassen man, met dikke krullen die al grijs worden. Hij draagt een verschoten rood overhemd en een kapotte werkbroek met een touw erom bij wijze van riem. Hij is op blote voeten.'

Zonder te kijken wrijft Hendrik zich tussen zijn tenen en voelt hij aan zijn eeltige voetzolen.

'De ezel besnuffelt voorzichtig je kleren en je handen. Je ruikt naar een vreemde jongen die van overzee gekomen is. Hij drukt zijn grote hoofd tegen je aan, jij wil hem wegduwen maar er is geen beweging in hem te krijgen.

Dan zegt de man iets tegen je. Het klinkt brommerig, niet erg vriendelijk en je verstaat hem niet. Toch weet je wat hij bedoelt, want hij klopt op het zadel van de ezel. Met zijn andere hand wenkt hij je. Ja zeg, denk jij bij jezelf, wat moet dat? Mij niet gezien, ga zelf maar op dat beest zitten hoor. En wat een raar zadel trouwens, het lijkt wel van hout. Je glimlacht maar eens, maar de man is er niet van onder de indruk. Hij snauwt een paar woorden, en als je dan niet reageert grijpt hij je met twee knoestige handen onder je armen, hijst je op en poot je met een zwaai boven op de ezel. Dwars.'

'Dwars?' protesteert Hendrik. 'Als een wijf? Dat doe ik niet hoor.'

'Je hoort op een ezel niet schrijlings te zitten,' legt Vera geduldig uit. 'Je zit met twee benen aan één kant. Goed. Je zit. De man laat de ezel keren, geeft jou de teugels en wijst naar de bergen. Je moet die bergkam over, blijkbaar. Maar waarom? Wat moet je daar gaan doen? Je kijkt de man aan, trekt je wenkbrauwen hoog op, laat je handpalmen zien, haalt je schouders op, gooit je armen in de lucht, maar deze taal begrijpt de man niet. Het enige wat hij doet is nors terugkijken en nog eens wijzen. Dan geeft hij de ezel plotseling een flinke klap op zijn achterste, zodat jij je nog maar net op tijd aan het zadel kunt vastgrijpen. Als je eindelijk durft om te kijken is de man nergens meer te zien.

Voorzichtig zoekt de ezel zijn weg tussen de rotsen door. De lucht is strakblauw en de zon brandt en jij staart maar naar het knikkende ezelhoofd. Wat weet je van ezels? Dat ze balken, dat ze onverwacht blijven stilstaan en niet meer verder willen. Meer niet. Balken hoeft niet van jou, maar dat stilstaan moest maar gauw gebeuren, want die hoge bergkam over trekken, dat zie je niet zo zitten, en bovendien begin je honger te krijgen, en dorst vooral.'

'Frieten,' zucht Hendrik. 'En cola.'

'Het smalle pad zigzagt tussen steeds puntiger, steeds onvriendelijker rotsen door, en het begint vervaarlijk te stijgen. Je moet je stevig vasthouden aan de rand van het zadel. Nergens is een huis, een beest, een mens te zien, alleen stenen, en doornige takken waaraan je je blote benen openhaalt.

Het steile pad leidt naar een hoogvlakte, bezaaid met rotsblokken en begroeid met bloeiende struiken. Er staan zelfs hier en daar bomen, lage, in de wind kromgegroeide bomen. In hun schaduw liggen drommen geiten te rusten, ook kleintjes. Kleine geitjes betekenen een moedergeit en een moedergeit betekent geitenmelk...'

Hendrik kijkt met open mond naar Vera. 'Nee! Je gaat toch zeker niet... je laat me toch niet... dat doe ik niet hoor!'

'...maar de ezel stapt vastberaden voort, je zou niet weten hoe je hem stil moest laten staan om af te kunnen stijgen. Hij schijnt goed de weg te weten. Aan de andere kant van de vlakte begint een pad dat overgaat in een soort trap van brede, witstenen treden. Je ziet ze haast niet, zo overgroeid zijn ze, en de meeste zijn kapot. Heel precies zet de ezel zijn hoeven neer en klimt hoger en hoger.

Het is doodstil. Af en toe hoor je een geit of een roofvogel, maar je komt niemand tegen; het lijkt wel of de man van de ezel de enige menselijke bewoner van het eiland is. 'Hoe heet je eigenlijk, beest?' vraag jij omdat je je eigen stem wel weer eens wilt horen. 'Waar gaan we naartoe? Komen we nog langs een bron? Komen we langs een huis waar eten is?' Je doopt de ezel Achilles maar het helpt niets, antwoord krijg je niet.

Het pad voert nu langs een open plek waar een vreemd, langgerekt stuk steen ligt. Als je dichterbij komt zie je dat het een beeld is van een mens, een stenen reus met een versleten gezicht en een gebroken been. Het moet daar al eeuwen en eeuwen liggen. Je hebt er medelijden mee, en ook met jezelf, want als je nog langer in die brandende zon moet blijven zonder eten en zonder drinken zal je nog van je ezel vallen, dan lig je er straks ook zo bij, en vinden ze je pas na een paar honderd jaar, helemaal versteend...'

Hendrik moet hard slikken, maar Vera staart nog steeds glimlachend de hemel in, ze merkt het niet.

'Na uren en uren,' gaat ze verder, 'bereikt de ezel eindelijk het hoogste punt van het marmeren pad, en zie je heel in de verte, in het dal aan de andere kant van de kam, een wit dorpje liggen. 'Kom op, Achilles, fluitje van een cent,' zeg jij, en je aait de ezel over zijn ruige hals. 'Een dorpje! Dat is waar we heen moeten, hè? Daar is water. Daar is brood! En hooi, of wat eten ezels eigenlijk. Stro. Distels.' Maar de ezel beweegt nerveus zijn oren. Hij gaat langzamer en langzamer lopen en ten slotte...'

'Nee,' zegt Hendrik. 'Nee hoor!' en hij wiebelt driftig heen en weer op zijn vuilnisbak.

'...ten slotte blijft hij stilstaan. Je buigt je wat opzij, en dan zie je waarom. Het zigzagpad naar beneden is zo smal en steil en ligt zo vol met losse stenen dat zelfs een berggeit zich wel driemaal zou bedenken. Je klampt je aan het zadel vast. Je wilt liever niet meer om je heen kijken, maar je dwingt jezelf ertoe. Het lijkt wel of je op het dak van de aarde balanceert. Links van je zie je heel in de verte de zee en de rotsen; de vlakte met de geiten ligt zo diep beneden je dat de bomen kleine donkere struikjes lijken. Rechts van je zie je de kale, steile helling vol stenen. En boven je hoofd de eindeloze blauwe hemel. De ezel is intussen moed aan het verzamelen...'

'Omkeren!' kreunt Hendrik. 'Omkeren, ezel! Omkeren, terug naar de boot. Naar de boot, Achilles, hoor je me?' Het zweet stroomt van Hendriks gezicht langs zijn opgetrokken benen, en uit zijn mond komt alleen maar gekras als van een bang vogeltje. Hij is niet te verstaan voor Vera, en voor de ezel al helemaal niet.

'Voetje voor voetje,' gaat Vera verder, 'waagt de ezel zich op het smalle pad naar beneden. Had je soms moeten afstappen? Was dat de bedoeling van het beest? Ben je te zwaar voor hem op zo'n steil pad? Het is nu te laat. Je kan haast je evenwicht niet houden op dat vreemde houten zadel, bij elke stap zwiep je heen en weer en je knelt je handen om de rand om maar overeind te blijven. Telkens als de ezel even uitglijdt over een losse steen gaat er een schok door zijn hele lijf.'

'Ik zei toch omkeren...' steunt Hendrik.

'Er is niets wat geluid maakt; je hoort alleen de doffe, trage stappen van de ezelshoeven en het geratel van de wegschietende stenen. Uit het dal klinkt geen enkele stem, niet van een mens, niet van een dier. In de scherpe bochten van het pad lijk je recht boven het ravijn te hangen, en nergens groeien bomen of struiken die je val zouden kunnen breken...'

Met stijf dichtgeknepen ogen vouwt Hendrik zijn trillende lijf uit en stapt wankel van de vuilnisbak. De weg naar Vera's stoel is nog nooit zo lang geweest. Als hij onder zijn hand eindelijk de stof van haar jurk voelt, wordt hij met twee armen op schoot getrokken, alsof hij de poes is. Intussen vertelt ze gewoon verder. Hendrik hoort haar stem door haar borstbeen heen. Hij duwt zijn vingers in zijn oren maar het helpt niet: zwaaiend en duizelend en suizelend daalt hij over het zigzagpad de steile helling af, en met elke stap van de ezel stort hij bijna de stenige diepte in.

'Beneden, in het witte dorpje,' hoort hij Vera dan zeggen, 'komen twee kleine zwartharige meisjes je lachend tegemoet rennen. Ze nemen de ezel bij zijn halster en brengen hem naar een fontein om hem te laten drinken. Het grootste meisje holt een donkere winkel binnen en komt terug met een blikje. Ze zet het even aan haar mond, om te laten zien waar het voor is, en stopt het dan in je hand.'

Hendrik slaakt zo'n diepe zucht dat het pijn doet in zijn borst. 'Ik vind,' zegt hij dan met een bibberstem, 'ik vind, dat als je iemand per se een verhaal wil vertellen omdat je denkt dat ie zich verveelt, maar je weet dat die iemand laten we zeggen niet heel erg houdt van... van laten we zeggen... eh... hóógtes... dat je dan niet...'

Vera begint te grinniken en schudt hem zachtjes door elkaar. ''t Was trouwens een blikje cola,' zegt ze.

Hendrik zucht nog eens. 'Wat ging ik nou doen in dat dorpje eigenlijk? Het had toch niks met die meisjes te maken? Hoe klein waren die? Hoe heetten ze?'

'Heel klein. Zeven en negen. Anna en Victoria. En ze konden jouw naam niet uitspreken. En wat je ging doen? Wat ben je toch een sufferd. Wegwezen natuurlijk!'

Hendrik wil opstaan van Vera's schoot maar ze houdt hem tegen. 'Frieten?' zegt ze in zijn oor. 'Van die dikke? Zelfgemaakte? Mét?'

'Alsjeblieft!' zegt Hendrik.

Marco Kunst
Vakantie in het Riesenthal

'Hé, slome!'

Max keek op. Zijn broer Arend stond hoger op de berg op een rots. Handen in zijn zij, alsof de wereld van hem was. 'Kom je nou nog?' riep hij galmend.

Max snoof de berglucht op en hoopte dat zijn duizeligheid voorbij zou gaan. De helling was heel steil. Vanaf de camping had het eruitgezien als een glooiende, groene weide waarover je zo naar de top van de berg zou kunnen lopen, maar dat viel vies tegen. Ze waren al zeker een halfuur onderweg en de top leek nog geen centimeter dichterbij.

Max zwaaide naar Arend en klom verder. Lopen was het allang niet meer. Bij iedere stap moest hij met beide handen steun zoeken aan de rotsen of aan stekelig onkruid. Eigenlijk wilde hij niet verder en vond hij het eng. Maar hij wilde zich niet laten kennen. Arend pestte hem al de hele vakantie met alles wat hij niet kon, durfde of wist. Kon hij er wat aan doen dat hij bijna twee jaar jonger was? Dat was de ellende met grote broers.

Al helemaal hier op vakantie in Oostenrijk, want op

die ellendige camping daar beneden zaten verder alleen bejaarden. Niemand van zijn eigen leeftijd om mee te spelen en aan papa en mama had je ook niets. Die zaten alleen maar te lezen voor de tent. En wijn te drinken. Witte wijn met bubbels waarvan ze eerst belachelijk vrolijk van werden en daarna rood en chagrijnig.

Max was bovendien nog kwaad over gisteravond. Arend had hem toen uitgelachen om iets wat helemaal niet klopte.

'Zo, jongens,' had papa gezegd, terwijl ze zaten te eten, 'we zitten hier nu wel zo ongelooflijk mooi in deze schitterende vallei, maar weten jullie wel wat 'Riesenthal' betekent?'

Max schudde zijn hoofd en keek naar Arend. Die ging al naar de tweede. Hij leerde al Duits. Arend had het gelukkig ook niet geweten.

'Reuzendal! We zijn in het Reuzendal terechtgekomen. Goed, hè?' Papa glimlachte. 'En de naam van dat dorp hier betekent 'Reuzenschoot': Riesenschoss. Grappig, hè? Maar waarom zou het zo heten?'

'Gewoon,' had Arend schouderophalend geantwoord, 'omdat het een reusachtig groot dal is natuurlijk.'

'Of, omdat er hier vroeger reuzen zaten,' had Max met een glimlach gezegd. Gewoon een flauw grapje.

Maar Arend had hem verveeld aangekeken. 'Tsss... Denk je dat nou écht?' had hij verzucht en hij had zijn hoofd geschud. 'Die kleuter denkt echt dat reuzen bestaan.'

'Ik maakte een grapje!'

'Nee, je meende het...' Arend had vals naar hem gela-

chen. Max was kwaad opgesprongen en weggelopen.
En nu klom hij toch weer achter zijn grote broer aan
die stomme rotberg op. Terwijl hij veel liever naar het
zwembad was gegaan. Als hij zich nou aan die rots daar
optrok, en daar zijn voet neerzette, dan...

'Hélp! ... Max!'
Dat was Arend! Max keek op, maar dook direct in elkaar en maakte zich zo klein mogelijk. Over de helling
kwamen keien en brokken droge aarde naar beneden
stuiteren. Hij leunde voorover tegen de rots en vouw-
de zijn armen om zijn hoofd. Een steen schampte zijn
schouder en hij voelde hoe allerlei gruis in zijn haren, op
zijn armen en in de kraag van zijn shirt viel.
Het was even snel voorbij als het begonnen was.
'Arend!' Max richtte zich op en keek naar boven. Een
paar losse stenen, wat aarde, een spoor van gruis en verder niets.
'Arend!'
Het bleef stil.
'Hé!'
Arend had daar bij die grote rots gestaan. Misschien
lag hij ernaast, of erachter, vanaf hier kon Max het niet
zien. Hij keek achterom, naar de camping. Papa halen
zou te veel tijd kosten. Hij moest naar boven klimmen,
naar Arend toe. Misschien was er wel iets verschrikke-
lijks gebeurd. Max' hart bonsde in zijn keel.
'Aaaarend!'
Nog steeds geen antwoord. Max klom verder omhoog.
Heel behoedzaam. Steeds goed kijkend waar hij zich aan

vasthield, waar hij zijn voeten zette, en dan weer verder. Maar... Geschrokken keek hij op. Wat was dat voor vreemd geluid? Een beest? Hij tuurde in het struikgewas. Erachter ging een kleine, donkere grot schuil. Er kwam geruis uit. Max werkte zich tussen de struiken door in de richting van de grot. Een warme, krachtige luchtstroom blies in zijn gezicht. Dampig. Geschrokken deinsde hij terug. Vulkanisch gas? Kon dat hier?

Het deed er niet toe. Hij moest naar Arend. Max klom verder.

Vijf minuten later was hij bij de grote rots, en daar lag Arend met zijn gezicht omlaag tegen de grond. Bewusteloos. Max hurkte bij hem neer.

'Arend,' fluisterde hij, 'Arend!' Hij durfde zijn broer niet goed aan te raken. Hij had wel eens gehoord dat je het dan erger kon maken. Bijvoorbeeld als hij zijn nek gebroken had.

'Arend!' Max streek met de rug van zijn hand heel zacht over Arends wang.

'Hm?' Arend bewoog zijn hoofd een beetje en opende een oog.

Hij leefde nog! Dat was alvast wat. Max legde zijn hand op Arends schouder. Hij keek rond om te zien hoe ze hier straks weg konden komen.

Op dat moment kreeg hij de schrik van zijn leven.

Geen vijf meter bij hen vandaan was een reusachtig oog in de rotswand. Een glanzend, stenen oog, zeker vijf meter breed. Het ooglid was begroeid met stugge grassprieten en erboven was een rotsrichel met een streep struikgewas: de wenkbrauw. Het moest gezichtsbedrog zijn. Max kneep zijn ogen dicht, schudde zijn hoofd en keek opnieuw.

De pupil bewoog. Het oog keek hem nu recht aan. Verstijfd van angst staarde Max terug. Arend had niets in de gaten, die begon net een beetje bij te komen. Hij draaide zich kreunend op zijn rug.

Maar Max keek alleen naar dat gruwelijke oog. Het keek wel heel erg slaperig. Het was halfopen en de pupil bewoog maar langzaam.

'Hé... Maxie...' mompelde Arend moeizaam.

Max kwam overeind en speurde de berghelling af. Als dit een oog was, dan... Die hoge, puntige rots daar, dat was dan de neus, en die grot van daarnet een neusgat, en die brede, stenen richels daar nog wat lager... Waren dat echt lippen? De vorm klopte precies. En verderop... Max overzag het ineens helemaal: een kin, schouders... De reus hield zijn armen wijd gespreid alsof de berg een luie leunstoel was. En lager op de helling: de borstkas waarover ze naar boven geklommen waren, en dan de buik... Het dorp, precies in de schoot ... en zelfs lager in het dal klopte het: de beboste benen die zich uitstrekten tot diep in het dal.

'Kijk uit!' Arend trok Max omlaag en tegen zich aan. Opnieuw kwamen er stenen en gruis naar beneden. Maar niet zoveel als daarnet.

Toen Max opkeek was het oog verdwenen. Het had zich gesloten. De streep gras die net nog de wimpers van het oog had gevormd ging nu op in een plukkerig veldje gras en onkruid, en nu het oog niet meer te zien was zag de wenkbrauw er ook ineens weer heel gewoon uit: zomaar een rijtje struiken die op een richel groeiden.

'Hé! Maxie? Alles goed?' Arend kwam overeind en trok Max mee omhoog. Vervolgens klopte hij het stof en de aarde van zich af. 'Zullen we maar teruggaan?' Hij voelde aan een flinke bult op zijn voorhoofd.

Max zei niets. Hij staarde een paar seconden naar zijn broer en keek toen weer naar het landschap. Als je het eenmaal had gezien dan kon je er niet meer omheen: de berg waar ze op stonden had de vorm van een reusachtige man. Overgroeid en overwoekerd alsof hij in geen duizenden jaren bewogen had.

'Kom op, Max,' zei Arend toen. 'Niks aan de hand. We gaan gewoon terug naar de camping. En niets tegen papa en mama zeggen. Die bult op mijn hoofd kwam omdat ik heel dom tegen een tak aan liep. Ja?'

Arend zou niet meer bijkomen van het lachen als Max hem vertelde wat hij had gezien. Een oog... Een reus... De rest van de vakantie zou hij dubbel liggen. Daar had Max geen zin in. Hij knikte. 'Oké. Is goed.'

Voorzichtig daalden ze de helling af en een halfuur later waren ze terug op de camping.

'Je zegt niets, hoor! Anders mogen we de hele vakantie niks meer! Max?'

'Ja, ja... Ik zeg niets.'

De rest van de middag dobberde Max op het luchtbed rond in het zwembad. Had hij dat oog nou echt gezien, of was hij gek geworden? Maar de vorm van de berg dan? En de naam van het dal? De naam van het dorp? Het kon toch geen toeval zijn? Als het echt was, dan leefde die reus nog. Het stenen oog had bewogen. Het had hem aangekeken en was weer dichtgegaan, alsof hij opnieuw in slaap viel. Maar wat als de reus echt wakker werd, zich uitrekte en opstond? De camping en het hele dorp zouden de afgrond in storten. Honderden doden zouden er vallen, en...

Max liet zich van het luchtbed afrollen en dook naar de bodem van het zwembad. Hij moest niet zo idioot doen. Reuzen bestonden niet. Het was allemaal flauwekul. Hij moest het zich hebben verbeeld.

Maar die warme luchtstroom dan? Die grot op de plek waar de neus zou zitten... Hij zou terug moeten gaan. Morgen, of overmorgen. In ieder geval zijn eentje, want niemand zou hem toch geloven.

Het lukte Max pas twee dagen later om onopgemerkt in zijn eentje opnieuw de berg op te gaan. Hij nam er de tijd voor. Hij wist nu hoe steil het was en hoe gevaarlijk het kon zijn en hij wilde niet moe en buiten adem zijn als hij boven kwam. Het was in ieder geval niet moeilijk om de weg terug te vinden. De camping lag op de dikke opbollende buik. Een sappig groen weidegebied dat geleidelijk overging in een droger, stugger begroeid gebied: de borstkas. Daarna kwam je bij een paar rotsige plooien: de plek waar de borst overging in hals en schouders. De kop van de reus lag ontspannen achterover, hierdoor was het niet heel moeilijk om de kin te beklimmen – al was dit wel het steilste deel van de route.

Max aarzelde toen hij bij de lippen van de reus kwam:

twee lange stenen richels die licht opbolden. Wat als de mond ineens open zou gaan? Niet aarzelen nu. Met een flinke sprong was hij op de bovenlip. Van daar was hiet niet ver naar de hoge rotspunt die de neus vormde. Max herkende de plek en werkte zich opnieuw door het struikgewas in de richting van de grot. Weer het geruis, maar nu zoog de grot lucht aan. Ademloos keek Max het duister van de grot in en wachtte af. Misschien duurde het een minuut of twee, maar toen nam de luchtstroom af tot hij stopte en een paar seconden later begon de uitademing – een warme vochtige damp die inderdaad dierlijk, of zelfs menselijk rook.

Max werkte zich verder door de struiken, op zoek naar het tweede neusgat, en hij vond het vlakbij, precies daar waar hij het had verwacht. Hier klonk de ademhaling snuivender, alsof het neusgat half verstopt zat. Walgend stelde Max zich voor wat er zou gebeuren als de reus zou niezen – wat er allemaal naar buiten zou komen vliegen – en hij maakte zich snel uit de voeten. Hij liep om de rechter neusvleugel heen en volgde de helling die naar het rechteroog moest leiden. Eergisteren had hij voor het linkeroog gestaan, als er ook een rechteroog was, dan kon het niet anders of hij had een enorme ontdekking gedaan.

Het oog was gesloten. Maar het was er wel: een zachte bolling van de helling, met erboven net zo'n struikge-was-wenkbrauw als aan de andere kant van de neus. Niet goed wetend wat hij nu moest doen bleef Max voor het oog staan en keek om naar het reuzenlichaam. Een ontdekking waar iedereen hem alleen maar om zou uitlachen... Of zou hij het bestaan van de grotten kunnen melden bij de een of andere professor? Iemand van een universiteit? Misschien als hij weer thuis was. Maar wat dan? Zo iemand zou ook alleen maar denken dat hij voor de gek werd gehouden.

Het enige wat erop zat was zijn ontdckking geheim houden en in de toekomst terugkomen. Met boren en onderzoeksinstrumenten.

Hij liep nog een klein stukje verder tot hij bij een nauwe kloof kwam waarin hij een oor vermoedde, en daalde daarna weer af naar de camping.

Zijn vader keek even op uit zijn boek toen Max bij de tent kwam. 'En, vermaak je je nog een beetje in het Reuzendal?'

'O... Eh... Ja hoor, pap, gaat wel.'

'Waar was je naartoe?'

Max haalde zijn schouders op. 'O... Gewoon, even lopen langs dat pad van gisteren... bij het dorp.'

Zijn vader knikte goedkeurend, mompelde 'ja, mooi daar', en dook weer in zijn boek.

Die nacht werd Max wakker doordat Arend aan zijn schouder schudde. Het was aardedonker in het kleine tentje waarin ze sliepen. 'Er bewoog iets,' fluisterde Arend.

'Wat...? Wat zeg je?'

'De aarde... De grond bewoog. Ik weet niet wat het is, maar er rommelde iets onder de tent.'

'Een mol of zo?'

'Nee, veel groter. Ik dacht daarnet bijna dat er een aardbeving was, of... Daar is het weer! Voel maar!'

Max voelde een trilling. Hij legde zijn hand plat op de grond naast zijn slaapmatje. Een lichte trilling, maar heel duidelijk. De buik van de reus rammelt, dacht hij, maar hij zei niets. De trilling stierf weg.

'Voel je het ook?'

'Hmm.'

'Man! Straks krijgen we hier een aardbeving en jij kunt alleen maar hmmm zeggen?'

'Wat moet ik dan zeggen?'

'Een aardbeving... Maar ik geloof dat het al voorbij is.'

'Nou. Misschien staat het morgen wel in de krant.'

'Wat is er met jou? Ik heb nog nooit een echte aardbeving meegemaakt. Is toch hartstikke vet!'

'Hmm.'

'Ach barst.'

Max hoorde hoe zijn broer zich omdraaide en zijn slaapzak over zich heen trok. Zelf draaide hij de andere kant uit en probeerde verder te slapen.

Maar de slaap wilde niet komen. Hij was bang. Bang dat de reus aan het wakker worden was. Bang dat hij ieder moment overeind kon komen, waarbij alle aangekoekte aarde en alles wat er op hem groeide en gebouwd was in duizenden jaren als stof en kruimels naar beneden zou storten. Met hun tent ertussen, en die van papa en mama, en alle caravans en campers van alle bejaarden, en... Max sloot zijn ogen, balde zijn handen tot vuisten en lag een hele tijd doodstil. Maar het bleef rustig en uiteindelijk viel hij weer in slaap – een slaap vol onrustige dromen van reusachtige stenen reuzen, eindeloze valpartijen, modderstromen en aardverschuivingen.

De volgende ochtend was de hele camping in rep en roer. Max kroop de tent uit en zag dat een groep mensen zich op een punt verzameld had. Iemand wees naar het bos op de westelijke berghelling. Hij liep naar de mensen toe. Arend stond er al. 'Een aardverschuiving! Dat is wat we voelden vannacht!'

Max zag dat de linkerarm van de reus verschoven was. Niet meer dan een meter of tien, maar in zijn beweging had de arm een deel van het bos weggevaagd en er was een stuk kale grond blootgelegd.

De reus werd wakker, het kon niet anders. Heel langzaam, maar hij werd wakker. Max wist het zeker.

'Komen jullie helpen?' Hun vader kwam eraan lopen. 'We vertrekken. Vandaag nog. Ik voel me hier niet veilig. Als de boel daar op die helling in kan storten, dan kan dat ook hier ieder moment gebeuren. Als jullie je eigen tent afbreken en opruimen, dan kunnen we over een paar uurtjes gaan rijden.'

'Gaan we dan al naar huis?'

'Ik dacht dat het misschien leuk is om een extra nachtje in München door te brengen. Lekker uit eten, museumpje en dan morgen of overmorgen door naar huis.'

Arend haalde zijn schouders op. 'Ik vind het best. Ik heb het hier wel gezien.'

'En jij, Max?'

'Is goed... Maar wat mij betreft rijden we meteen door

naar huis. Ik wil niet naar München.'

'Wacht maar tot je die stad gezien hebt! Kom op nu. Douchen, aankleden en wegwezen!'

Onder de douche bedacht Max dat er iets was wat hij moest proberen. Hij kleedde zich snel aan en liep terug naar de tent.

'Arend...'

'Hmm?'

'Ik heb mijn portemonnee verloren toen we daarboven waren... Daar waar jij gevallen was, denk ik... Is het goed als...'

'Ja en ik zeker in mijn eentje die hele tent afbreken en inpakken? Vergeet het maar.'

'Eh... Dan was ik thuis de rest van de vakantie iedere avond in mijn eentje af.'

Arend keek hem wantrouwig aan. 'Zat er veel geld in die portemonnee?'

'Twintig euro.'

'Dus jij wilt voor twintig euro de hele vakantie de afwas doen?'

Max knikte.

'Zweer je het?'

'Ik zweer het.'

'Oké. Wegwezen dan.'

Opnieuw ging Max de berg op. Gejaagd nu. Hij had haast. Ook hij wilde zo snel mogelijk weg uit het Riesenthal, want zijn vader had gelijk, het was hier levensgevaarlijk.

Hij kende de weg nu en een halfuur later was hij waar

hij wezen wilde: bij de kloof waar zich het oor van de reus moest bevinden.

Hij werkte zich zo ver mogelijk door de nauwe spleet naar achteren en schraapte toen zijn keel.

Maar wacht. Wat voor taal zou zo'n reus eigenlijk spreken? Duits? Vast geen Nederlands. Max had hem willen waarschuwen. Vragen voorzichtig te zijn met het dorp dat op zijn schoot rustte. Maar hij had er niet over nagedacht hoe hij dat eigenlijk moest doen.

'Hallo?!' riep hij toen toch maar, aarzelend. 'Hallo? Herr... Herr Riese?' Max voelde zich behoorlijk belachelijk, maar hij moest het toch proberen. 'Hallo? Eh... Dorf in Schoss! Bitte... Bitte... Voorzichtig... Vorsicht! Achtung! Mensen in Dorf! Gevaar! In Schoss! Op uw schoot! Riesenschoss! Ja?! Als... Eh... Bitte, Herr Riese? Vorsichtig? Viel Gefahr! Kleine Menschen. Dorf in Schoss!'

Max zweeg. Stel je voor dat iemand hem gehoord had. Stel je voor dat Arend hem gevolgd was. Schichtig keek hij om. Niemand te zien, en uit de berg kwam trouwens ook geen enkele reactie.

Hij maakte zich uit de voeten en was op tijd beneden om zijn eigen slaapzak op te rollen. Een uur later vertrokken ze richting München.

Pas vijf dagen later, toen ze alweer lang en breed thuis waren, kwamen ze erachter wat er gebeurd was de nacht nadat ze uit het Riesenthal vertrokken waren.

'Reuzenhand behoedt dorp voor de ondergang', luidde de kop in een van de oude kranten die hun vader zat door te werken.

'Moet je luisteren, jongens: *Afgelopen nacht heeft in de Oostenrijkse Alpen een natuurramp plaatsgevonden die op wonderbaarlijke wijze zonder doden of gewonden is afgelopen. In het Riesenthal, waar de dagen daarvoor al flinke seismische activiteit was waargenomen, heeft een enorme aardverschuiving plaatsgevonden. Het volledige dorp Riesenschoss is daarbij over een afstand van bijna honderd meter verschoven zonder dat daarbij huizen zijn ingestort of gewonden zijn gevallen. Sommige dorpsbewoners beweren zelfs dat zij de hele nacht prima geslapen hebben zonder ook maar iets gemerkt te hebben. Toevoerwegen, elektra, riolering en dergelijke zijn verwoest, maar verder is het dorp vrijwel ongeschonden. Een enorme dam van rots – volgens sommigen in de vorm van een arm – heeft het dorp beschermd en weggehouden van de reusachtige lawines die verderop de berghellingen volledig hebben verwoest. Ook de camping hoger op de berg is door het oog van de naald gekropen – al zijn verschillende campers en caravans daar wel danig uit het lood geraakt.*

'Ik kreeg het pak hagelslag op mijn hoofd. Daardoor werd ik wakker,' luidde het verbouwereerde commentaar van een van onze landgenoten die in Riesenschoss verbleef ten tijde van de ramp. 'Maar verder heb ik eigenlijk niets gemerkt.'

Naar de precieze toedracht van de ramp zal nader onderzoek worden verricht door de Oostenrijkse seismografische dienst.'

Naast het artikel stond een foto afgedrukt van hoe het dal er nu uitzag. Een luchtfoto. Max meende dat hij in de rommel en chaos toch nog de omtrekken van de reus kon ontdekken. Het was alsof het kolossale lichaam een meter of honderd van de berg was afgedaald. Max zag voor het eerst ook de voeten van de reus: ze staken een eind de rivier in, alsof de reus om verkoeling te zoeken was gaan pootjebaden.

Joke van Leeuwen
Ver weg is dichtbij

Er was eens ergens, een paar straten verderop, een oude vrouw die niet op reis kon. Haar benen leken vastgeroest. Ze kon er alleen schuifelpasjes mee maken en die brengen je niet ver.

Op een dag in de zomer had de vrouw een gedachte. Ze hield ervan als er gedachten in haar opkwamen, want die waren nog lenig. Ze dacht: de mensen willen steeds verder reizen, van het gewone vandaan, omdat ze denken dat het dan mooier wordt. Maar misschien kun je ook almaar dichterbij reizen, van het gewone vandaan, en misschien kun je dan ook denken dat het mooier wordt.

Ze had een vergrootglas dat ze altijd gebruikte om te kunnen lezen. Het was een heel sterk vergrootglas waardoor je maar één letter tegelijk kon lezen, zodat elk woord een verrassing voor haar werd.

Maar nu ging ze er niet mee lezen. Ze schuifelde ermee weg om een paar dagen vakantie te nemen.

De eerste dag bekeek ze een kruimel op het donkerblauwe tafelzeil in haar keuken, en hoe langer ze ernaar

keek, hoe meer die kruimel ging lijken op een verre me-
teoriet in de eindeloze ruimte.

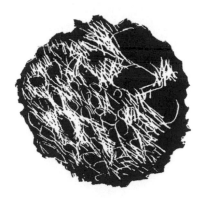

De tweede dag dook ze in het oerwoud van de kamer-
plantjes en kwam oog in oog te staan met een vreselijk
groot insect.

De derde dag raakte ze verstrikt in de doolhof van een
opengesneden rodekool, waar ze 's avonds een stukje
van kookte en opat, zodat de kool op reis ging naar haar
maag.

De vierde dag kwam ze terug van haar dichtbije reizen, want er stond visite op de stoep, visite die net terug was van een verre reis.

'Da's ook toevallig,' zei ze, 'ik kom net terug van een dichtbije reis.' En ze vertelde hoe prachtig alles was geweest.

De visite lachte alleen maar en fluisterde: 'Ze wordt nu wel echt oud, hè, met haar verroeste benen.'

Karlijn Stoffels
Golven

Joessef zat op het dak en keek naar de katjes. De moederpoes was een ommetje gaan maken en de jonkies probeerden luid mauwend uit de doos te klimmen. Het was ook al warm aan het worden en opa was vergeten de parasol op te zetten. Zuchtend kwam Joessef overeind, sjouwde de zware parasol naar de hoek en sloeg zich toen tegen zijn hoofd. Sukkel die hij was! Hij had gewoon de doos met katjes moeten verplaatsen, en niet dat zware ding. Te laat.

Hij zette de parasol op en ging weer zitten luieren. 'Niksen' en 'suffen' noemde zijn moeder dat. Maar zijn moeder was in Amsterdam en hij was in Ouazarzate, en geen hond die zich eraan stoorde wat hij deed. Ze zou zich rot schrikken als ze zag wat hij droeg: een 'jurk' zoals zij het noemde, een prachtige rood met gele kaftan. Die was lekker luchtig en zo viel hij niet te veel op tussen de dorpsjongens als hij 's avonds met opa een rondje ging lopen. Een beetje opvallen, bijvoorbeeld door de felle kleuren van zijn djellaba, dat gaf niet. Ze wisten toch wel dat hij de kleinzoon was van de rijkste man van de streek. Opa was net zo arm begonnen als de andere dorpelingen, maar hij had heel hard gewerkt in een fabriek in Nederland, en toen een groentewinkel gekocht. Nu had hij er wel honderd, in Frankrijk en Marokko en Nederland, en in al die winkels stond een zoon of neef of ander familielid. De groentezaak in Amsterdam was van Joessefs vader, die met een Hollandse was getrouwd.

'Joessef!'

Hij kwam kreunend overeind en liep de trap af.

'Help me eens even.' Opa had een jerrycan honing op de terrastafel gezet en een paar potjes. De vorige avond hadden ze samen het hooi weggeschept dat de bijenkasten tegen de zon moest beschermen, en opa had de honing uit de raten laten druipen. Vanochtend had hij de potjes uitgekookt, steriliseren noemde hij dat, en nu moesten de potjes gevuld worden. Het was veel werk, en het was dan ook dure honing. Maar de mensen betaalden graag, want opa deed geen suikerwater bij zijn honing en behalve heerlijk zoet en geurig was zijn honing ook goed tegen een heleboel kwalen. Dat wisten de mensen wel want het stond in de koran.

Joessef hield de potjes een voor een onder de tuit van de jerrycan.

'O, er is nog over,' zei opa met een beteuterd gezicht. 'En de potjes zijn op. Nou, dan gooien we de rest van de honing maar weg!'

'Opa!' Joessef dacht opeens aan zijn moeder die opa soms 'die ouwe zot' noemde. Misschien was opa wel een beetje gek. Hij wilde zich omdraaien om terug te gaan naar het dakterras.

'Wat?' vroeg opa onnozel. 'Het past niet, toch?' Hij haalde zijn schouders op en zette de jerrycan weg. 'Niet weglopen, er is nog meer te doen. Kijk.' Hij wees op het kippenhok dat onder een afdak van het huis was gebouwd zodat de kippen in de schaduw zaten. 'Er zijn te veel kuikens bijgekomen, het hok is vol.'

'Gaan we een nieuw hok maken?' vroeg Joessef. 'Daar is het toch veel te warm voor?'

'Je hebt gelijk, jongen. Laten we dan die kuikens maar verdrinken.'

'Opa!' riep Joessef voor de tweede keer. En deze keer wist hij zeker dat zijn moeder gelijk had met haar 'ouwe zot.'

'Wat?' vroeg opa met zijn onschuldigste gezicht. 'Als het niet past moet je het aanpassen. Pak jij de teil, dan gooi ik de kuikens erin.'

'Houdt u me voor de gek?'

'Helemaal niet. Vind je het geen goed idee?' Opa ging aan de tafel zitten. 'Als we geen kuikens gaan verdrinken en ook geen honing weggooien, vertel jij me dan maar eens wat er aan de hand is. Nee, smoesjes hoef je deze oude man niet te verkopen. Je komt zomaar bij je opa logeren, en in plaats van rond te rennen met je vriendjes zit je de hele dag op het dak te...'

'Te niksen en te suffen.'

'Precies.'

'Maar dat is wat ik het liefste doe.'

'Nou, dan is alles in orde.'

'Hier wel,' zei Joessef. 'Maar na de vakantie moet ik naar school. Ik ben weer blijven zitten. De meester zegt dat ik niet luister. En dat ik te druk ben. En niet hard genoeg werk.'

'Hier luister je wel,' zei opa. 'En werken doe je ook, als het moet.'

'Ja, maar soms zoemt het zo in mijn hoofd,' zei Joessef. 'Als ik zit te dromen en iemand roept erdoorheen dat ik iets moet doen, of moet opletten, dan gaat het zo'n pijn doen hier.' Hij tikte tegen zijn voorhoofd.

'Ik ben van school af gegaan,' zei opa. 'Ik droomde ook liever.'

'Ja, en nu heeft u zeker spijt,' zei Joessef. 'Dat zeggen vader en moeder altijd: 'Later heb je spijt.''

'Spijt?' riep opa. 'Hier zit ik op de mooiste berg van de wereld, tussen mijn bijen en geiten en met mijn kleinzoon tegenover me. Spijt?'

'Maar u moest in de fabriek werken.'

'Heerlijk! Nergens aan denken, lekker met je handen werken en intussen dromen. Ik dacht aan de winkel die ik zou beginnen. Met lekkere munt en honing, verse wilde spinazie, vijgen en dadels en amandelen. Al het goede van de aarde zou ik bij de mensen brengen.'

'En nog rijk worden ook.'

'Ja, dat is jammer, dat viel niet te vermijden,' zei opa met een knipoog. 'Maar ik merk er niet zo veel van gelukkig.'

Joessef grinnikte. Hij wist dat zijn opa heus wel trots was op wat hij had bereikt, voor zichzelf en zijn kinderen. Als Joessefs vader niet zo veel verdiende met de winkel zou hij de dokter voor Joessef niet kunnen betalen. 'Ik ben in het ziekenhuis geweest,' zei hij. Hij zag dat zijn opa schrok. 'Voor onderzoek.'

'O.'

'Van mijn hersens.'

'Wat is er mis met je hersens?'

'Van alles.'

'Nooit iets van gemerkt.'

'Mama wel. Ze zegt dat ik lastig ben, en druk, en niet luister. En de dokter zegt het ook. Hij heeft mijn hoofd onderzocht met een apparaat, en de golven zijn niet goed, in de kwab.'

'Kwab?' herhaalde opa onzeker. 'Bedoel je "krab?" De krab in de golven?'

'Voorhoofdskwab,' legde Joessef uit. 'Daar zijn hersengolven waarmee je goed kunt opletten, maar ook andere, waarmee je lekker kunt wegdromen. En daar heb ik er te veel van, van die droomgolven.'

Opa knikte. 'Ik ook. Heel veel. Niet te veel.'

'De dokter kan me beter maken,' zei Joessef. 'Met een apparaat.'

'Doet dat pijn?' vroeg opa bezorgd.

'Nee, helemaal niet. De dokter zet een soort koptelefoon op mijn hoofd. Dan moet ik op de computer naar een filmpje kijken en opletten. Soms gaat er op het scherm een zonnetje schijnen, dan doe ik het goed. Als ik veel oefen gaan die foute droomgolven weg en krijg ik goede golven.'

'Dat is mooi,' zei opa.

'Maar ik hou van suffen en niksen,' zei Joessef. 'Ik wil mijn foute golven houden. Ze zijn toch van mij?'

Opa knikte. Hij stond op en liep een paar rondjes.

Misschien dacht hij na over Joessefs hoofd. 'Wat moet ik nou toch met die honing doen?' mompelde hij na een tijdje.

'Gewoon, statiegeld vragen,' zei Joessef. 'Dan brengen de mensen de potjes terug en dan heeft u er weer genoeg.'

'Volgens mij is er niks mis met jouw hersens, of met je kwab,' zei opa. 'Misschien moet je iets anders aan die dokter vragen.'

'Wat dan?'

'Of je met dat apparaat zelf je golven kunt leren kiezen. Dat je weet hoe je moet opletten als het nodig is, maar dat je ook kunt suffen en niksen als je daar zin in hebt.'

'Zou dat kunnen?' vroeg Joessef.

'Vast wel. Er is altijd een oplossing. Aanpassen is één ding, weggooien of verdrinken is een ander ding.' Opa liep naar de schuur. 'Het is koeler geworden, luiwammes. Mooi weer om een groter kippenhok te timmeren.'

Joessef huppelde achter hem aan. Zijn hoofd leek lichter, en in zijn voorhoofdskwab kon hij de slome en de kwieke hersengolven bijna voelen stromen. Nu was het tijd voor de vlugge soort, er moest gewerkt worden.

Tanneke Wigsersma
Tante Moes

Wolf zit in de auto en kijkt naar buiten. Hij herkent de bomen en de huizen niet en zelfs de koeien zijn anders.

'We zijn er bijna,' zegt mama.

'Ik wil niet,' zegt Wolf. Er zit een donkere wolk in zijn buik waar af en toe een bliksemschicht uit flitst. Dat doet pijn. Hij heeft zelfs zijn middagboterham niet opgegeten.

'Het gaat vast goed.' Mama rijdt een zandweg in.

Natuurlijk niet, denkt Wolf. Zij weet ook wel dat hij nog nooit ergens langer dan een paar uur gebleven is. Hij kan niet logeren. Hij moet thuis zijn, waar zijn stenenverzameling is en zijn boeken zijn. Waar zijn bed naar hem ruikt en niet naar iemand anders. Bij de poes en de hond.

'Als het niet lukt,' zegt mama. 'Dan kom ik je meteen weer halen. Beloofd!'

'Weet je nog dat ik op kamp ging?' vraagt Wolf.

'Je at helemaal niks,' zegt mama, 'maar thuis at je wel twaalf boterhammen.'

'Precies. En weet je nog bij oom Ben en tante Lilly...'

'We gaan het nog één keer proberen,' zegt mama. 'Eén keer.' Ze slaat af en stopt de auto voor een groot ijzeren hek. Ze stapt uit en duwt het hek piepend open. Erachter ligt een lange oprijlaan met aan het einde een kasteel met een ophaalbrug. Wolfs mond valt open van verbazing.

'Wie wonen hier allemaal?' vraagt hij als mama weer instapt. Straks zit het huis boordevol tantes die natte zoenen geven, ooms die naar zweet stinken, neefjes die niks zeggen en nichtjes die vlechtjes in je haar doen. De bliksem flitst in Wolfs buik. Hij mist de poes en de hond en zijn bed nu al.

'Alleen je tante Moes woont hier. Sinds kort. Ze heeft jaren in de Sahara gewoond. Geen vliegtuig dat daar wilde landen.'

De Sahara, dat klinkt wel erg ver weg, denkt Wolf. Gelukkig woont zijn tante nu dichterbij.

De auto hobbelt over de onregelmatige planken van de ophaalbrug. Wolf kijkt door het raam. In de brede gracht zwemmen ganzen die nieuwsgierig omhoog kijken. Mama rijdt onder de toegangspoort door en stopt op de stenen binnenplaats van het kasteel. Vier hoge torens prikken in de blauwe lucht. Gele vlaggen met een rode draak wapperen in de wind.

Mama parkeert de auto naast een oude put. Ze stapt uit en pakt Wolfs tas met zijn kleren van de achterbank. 'Kom je?'

Maar Wolf blijft zitten. Hij wil niet.

Mama drukt twee keer door het open raam op de claxon en kijkt naar het kasteel.

Misschien is die tante er niet, hoopt Wolf. Stel dat het een vergissing is en dat zijn moeder de verkeerde datum in haar hoofd heeft. Dan moeten ze weer naar huis. Dan heeft ze al ander bezoek dat komt logeren. Wat zal hij vandaag eens gaan doen? Hij kan stenen voor zijn verzameling zoeken of in zijn nieuwe dierenencyclopedie lezen. Met de poes op schoot en de hond aan zijn voeten.

Maar dan zwaait er een grote houten deur open en daar komt een vrouw met een wapperende kamerjas aan de trap af rennen. Haar haar staat wild alle kanten uit.

Ze ziet er meer uit als een oma dan als een tante, denkt Wolf.

'Zijn jullie er al?!'

De vrouw omhelst mama.

'Dag tante Moes.'

'Dag Minnie.'

'Mijn butler is gisteren weggelopen,' zegt tante Moes. 'En ik dommel zo in, als ik niet elk uur een kopje koffie krijg. Vorige week deed hij dat ook al. Hij stond na een paar dagen weer op de stoep met zijn koffer en zijn paraplu. Laat me eens naar je kijken.' Ze houdt mama een eindje van zich af en bekijkt haar goed. 'Je bent ouder geworden, maar het staat je prima. Het is ook lang geleden dat ik je voor het laatst gezien heb.'

'Jij draagt nog steeds dezelfde kamerjas.' Mama plukt aan tante Moes haar mouw.

'De aardbeienvlekken zitten er nog in,' fluistert Tante Moes.

Mama moet lachen.

Ja, lach maar, denkt Wolf, maar ik blijf niet bij dat rare mens.

'En dit is Wolf,' zegt mama en ze wijst naar Wolf.

Tante Moes buigt voorover en kijkt door het raampje om hem beter te kunnen zien. 'Hij lijkt sprekend op jou,' zegt ze tegen mama.

Mama opent het portier. 'Kom er eens uit.'

Ik breek nog liever een been, denkt Wolf, maar hij laat zich langzaam uit de auto glijden.

'Dag mevrouw,' zegt hij met een klein stemmetje.

'Dag Wolf.' Tante Moes glimlacht naar hem. Dan pakt ze zijn tas. 'Laten we deze in de logeerkamer zetten. Hier naar binnen, de hal door en de trap op.' Ze geeft Wolf een duwtje in de richting van de grote houten deur die wijd open staat. Wolf loopt aarzelend het kasteel binnen. De hal is enorm hoog en groot. Aan de muur hangen wandkleden en er staan verschillende harnassen met zwaard en lans opgesteld. Als hij hier met papa en mama op vakantie zou gaan, zou hij het supercool vinden.

In het midden is een brede trap met een rode loper. Wolf kijkt achterom. Tante Moes en mama staan nog op de drempel te praten.

'Ga maar vast naar boven,' zegt tante Moes tegen hem.

'Wij komen eraan,' zegt mama.

Wolf gaat langzaam de trap op. Hij is nog nooit in een echt kasteel geweest en hij heeft nog nooit in zijn leven op zo'n brede trap gelopen.

De trap eindigt in een donkere hal met aan weerszijden deuren. Achter een ervan klinkt zachte muziek. Wolf opent voorzichtig de deur. De kamer staat vol opgezette

dieren. Er staan een vos, een fazant, een kerkuil, een we-
zel, een slang, drie kraaien, vijf konijnen, meerdere das-
sen, een hert en nog veel meer.

Er is helemaal niemand, denkt Wolf en hij doet de
deur weer dicht. Maar hij heeft de klink nog niet losge-
laten of hij hoort weer zachte muziek en een soort geritsel. Hij opent de deur. De stoffige dieren staren hem met
hun zwarte nepogen aan. Deze keer doet Wolf alsof hij
de deur dichtdoet, maar hij houdt hem op een kier. Weer
klinkt er zachte muziek en geritsel van veertjes en langs
elkaar schurkende vachtjes. Wolf gluurt naar binnen. De
das speelt viool. De kraaien zingen noe-noe-noe. De konijnen maken een walsje en de vos danst met de kwartel.

'Dit is de logeerkamer niet, hoor,' hoort Wolf tante
Moes achter hem zeggen. Ze sluit de deur en pakt Wolf
zacht bij zijn arm.

'Maar,' zegt Wolf. 'In die kamer...'

'Mijn derde butler was ook zo nieuwsgierig,' zegt tante Moes en opent een andere deur. 'Hij had maar een
week nodig en toen had hij mijn kasteel al uit. Hij wist
alles. Ook over mijn liefdesbrieven aan mijn eerste butler. Kom maar, hier is het.'

Alles in de logeerkamer is rood met zwarte stipjes: het
dekbed in het grote hemelbed, de gordijnen en het tapijt.
Het lijkt wel alsof er een gigantisch lieveheersbeestje is
ontploft. Wolf giechelt en kijkt uit het raam. Hij kijkt uit
op de binnenplaats waar mama's auto niet meer staat.

Mama is weg! denkt Wolf. De donderwolk rommelt in
zijn buik. De bliksemschichten flitsen.

'Ik vind het vervelend dat het juist nu moet, maar

het is echt geen gezicht,' zegt tante Moes en zet Wolfs tas naast het hemelbed neer. 'Je moet me helpen.'

'Mama...' piept Wolf.

Tranen verzamelen zich achter zijn ogen, maar tante Moes pakt zacht zijn arm en voor hij het weet lopen ze de brede trap weer af naar beneden.

'Waar gaan we naartoe?' piept Wolf.

Ze gaan een grote zaal binnen. Er staat een troon en er hangen vaandels en vlaggen aan de plafondbalken. In een hoek, op een kleed, ligt een kameel te slapen. Hij wordt wakker en brult.

'Dat is Snoettie,' zegt tante Moes.

'Wat?' zegt Wolf geschrokken.

De kameel is opgestaan en rent bonkend op tante Moes af. Wolf doet een stapje naar achteren.

'Heet jij nou Wolf?' vraagt tante Moes en aait Snoettie over zijn neus.

'U heeft een kameel?'

Tante Moes schudt haar hoofd. 'Nee, hij is van de buurman, maar ik moet er op passen. Als de buurman op reis moet, zet hij Snoettie heel vroeg voor de deur. Met zijn kleed en zijn bal. Dan slaap ik nog en als ik slaap kan ik geen nee zeggen. Zelfs mijn butlers waren nooit zo slim. Behalve die van nu, maar ja, die is weg. En nu zit ik met die uitgroei.'

'Wat?'

'Het blond is geel en de uitgroei is zeker een centimeter of twee. Zie je?' Tante Moes kroelt door de gelige vacht van de kameel. 'We moeten hem opnieuw blonderen. Aai hem maar.'

Snoettie heeft prachtige bewimperde ogen en toch is Wolf een beetje bang voor het grote beest.

'Toe maar. Hij bijt niet. Hij spuugt ook niet trouwens. Dat dacht mijn elfde butler. Maar die kon nog geen mus van een kip onderscheiden.'

Wolf strekt zijn hand uit en aait over Snoetties neus. De neus is zacht als fluweel. Snoettie sluit zijn ogen. Wolf glimlacht. De kameel ziet er net zo tevreden uit als een poes. Alleen moet hij niet op schoot springen. Wolf denkt aan zijn eigen poes die altijd op schoot wil. Hij krijgt een brok in zijn keel.

'Hier is de verf!' Tante Moes komt binnen met twee armen vol met pakjes haarverf. 'We gaan naar het terras. Daar ben ik eens op een butler gaan zitten. Vandaar mijn naam. Wat sta je daar nou?'

'Eh...' zegt Wolf, maar Snoettie duwt met zijn zachte neus tegen Wolfs rug. Zo lopen ze achter tante Moes aan.

Op het stenen terras staan hoge palmen in potten en witte stoelen rond een witte tafel. In het midden staat een teil met daarnaast een stapel handdoeken.

'Hier, aandoen,' zegt tante Moes en geeft Wolf een paar plastic handschoentjes.

Tante Moes spuit alle flacons en tubes haarverf in een grote emmer en mengt alles door elkaar.

'Nou Snoettie... daar gaan we. Wolf, doe jij de poten?'

Wolf knikt. Ze beginnen de smurrie uit de kom op de kameel te smeren. De kameel maakt een zacht rommelend geluid. Wolf wil vragen wat dat is, maar tante Moes zegt al: 'hij vindt het lekker. Hij houdt van gefrunnik.'

Wolf smeert de linkerpoot in.

'We gaan niet snel genoeg,' zegt tante Moes terwijl ze op haar horloge kijkt.

Maar wat wil je, een kameel insmeren is niet niks.

'Zo,' zegt tante Moes als de emmer leeg is. Ze trekt de handschoentjes uit en gooit ze op het terras. 'Nu vul ik de teil met water en dan kunnen we het weer uitspoelen.'

Tante Moes spuit met de tuinslang de teil vol. Wolf bekijkt van een afstandje de naar haarverf stinkende kameel. Snoettie vindt het allemaal best.

'Nee, dat gaat niet,' zegt Wolf als tante Moes de kameel in de te kleine teil wil duwen.

'Het moet er echt nu uit,' zegt tante Moes. 'Mijn derde butler heeft het bij mij een keer te lang laten zitten. Ik werd helemaal groen!'

'We zetten hem in het gras en sproeien hem af met de tuinslang.'

'Wat een goed idee!'

Wolf glimt.

Wolf roept Snoettie mee te komen de tuin in. Snoettie rent bonkend achter hem aan.

Net als een hond, denkt Wolf, maar voor hij verdrietig kan denken aan zijn eigen hond, voelt hij een fluwelen neus in zijn rug duwen.

'Ik zal opschieten,' zegt Wolf en hij spoelt de kameel tussen de rozen af. De stinkende smurrie spoelt in het gras en maakt nare vlekken waar tante Moes niks over zegt.

Maar ook al is Snoettie nog nat, Wolf en tante Moes kunnen het al duidelijk zien: de kameel is niet blond maar wit!

'Och, wat zal de buurman zeggen?' zucht tante Moes.

'Ik vind het mooi,' zegt Wolf tevreden. 'Snoettie is prachtig zo.'

Snoettie maakt een zacht rommelend geluid.

'Dan wordt het nu tijd voor het avondeten,' zegt tante Moes.

Wolf ligt in het hemelbed. Zijn buik zit vol spaghetti met gehaktballetjes. Eerst dacht Wolf dat hij niet kon eten, maar toen tante Moes met de gehaktballetjes begon te jongleren, moest hij zo lachen dat de brok in zijn keel eruit schoot.

Het was gezellig geweest. Hij had Snoettie gevoerd en ze hadden gelachen, maar nu ligt hij alleen. Alleen onder een rood dekbed in een groot hemelbed. Hij houdt niet van rood. Hij houdt van blauw. De kleur van de lucht als er geen wolken zijn. Hij heeft een blauw dekbed, een blauw kleed en blauwe gordijnen. Was hij maar in zijn eigen kamer. Dan hoorde hij papa beneden pianospelen. Een traan glijdt over zijn wang. Op hetzelfde moment vliegt de deur van de kamer open. In de deuropening staat een matras.

'Ik kom hier slapen.'

De matras valt met een plof op de grond. In de deuropening staat tante Moes in een witte pyjama met roze bloemetjes. Ze heeft een kussen en een dekbed onder haar arm.

'Ik slaap hier,' zegt ze. Ze schuift het matras naast het hemelbed. Tante Moes legt haar kussen neer en gooit het dekbed zo omhoog dat het precies op de matras landt.

Wolf wrijft snel de traan weg als tante Moes onder haar dekbed kruipt.

'Fijn dat je nog wakker bent,' zegt ze.

'Ik wil naar huis,' piept Wolf.

'En ik wil nooit alleen slapen. Weet je wat het is? Het regent buiten en dan komen de naaktslakken tevoorschijn. Dan willen ze naar binnen en ik ben bang dat ze dan over mijn gezicht kruipen.'

'Naaktslakken?' vraagt Wolf.

'Jahaa,' zegt tante Moes. 'Ik heb een keer gezien dat er eentje door het open raam naar binnen gleed. Ik heb de butler gevraagd om hem te vangen, maar de slak was hem te snel af. Dat was mijn vijfde butler. Die was niet zo snel. Hij had iets aan zijn benen. Ik denk dat ze van hout waren. In ieder geval eentje.'

Wolf gaapt. In zijn hoofd ziet hij de butler met zijn houten benen achter de slak aan rennen die er snel vandoor glijdt.

'Bij jou voel ik me veilig,' zegt tante Moes.

Wolf sluit zijn ogen.

'Jij bent jong en snel. Jij zal elke slak te slim af zijn.'

Wolf glimlacht. Hij ziet zichzelf achter de slak aan gaan. De slak wordt een wolk waar hij op loopt. Hij springt van wolk op wolk, terwijl beneden auto's rijden, een vrouw de was ophangt en kinderen naar school lopen.

Als Wolf wakker wordt zit tante Moes op bed met een dienblad met croissantjes met chocolade, een gekookt eitje, vers geperst sinasappelsap en twee muffins.

'Ik heb trouwens ooit een butler gehad die goed kon koken. De derde. Zijn tomatensoep was briljant. Maar later bleek dat die uit een pakje kwam. Zodoende heb ik zelf leren koken. Goedemorgen. Lekker geslapen?'

Wolf lacht. 'Dit is de eerste keer dat ik echt gelogeerd heb.'

Tante Moes glimlacht. 'Je hebt het uitstekend gedaan. Net als je moeder. Ze wilde meteen weg, maar is drie dagen gebleven.'

'Mijn moeder was hier?'

'Ja, maar dat is jaren geleden.' Tante Moes strijkt met haar hand over Wolfs haar. 'Ik ben jouw tante eigenlijk niet. Ik ben een anti-heimweetante. Iedereen kan mij inhuren. Ik heb al veel kinderen van de heimwee afgeholpen.'

'Mama had heimwee?' vraagt Wolf.

'Vroeger wel, maar nu helemaal niet meer. En jij kan nu ook logeren. Bij je eigen familie. Bij oom Ben bijvoorbeeld,' zegt tante Moes. 'Het schijnt dat hij een puppy heeft.'

Hoe weet u dat? wil Wolf vragen maar eigenlijk weet hij het antwoord al. Tante Moes weet gewoon alles.

Gerda De Preter
Flessenpost uit Rotterdam

Lieve papa,

Ik hoop dat je dit leest. Kofi zei dat het vast zou lukken. Hij sprak een magische formule uit die hij alleen kent en daarna spuugde hij drie keer in de fles. Kofi heeft bijzondere krachten. Geërfd van zijn grootmoeder, zei hij, en die had ze op haar beurt van haar eigen opoe cadeau gekregen. Deze flessenpost zal je dus weten te vinden, waar je ook bent. En maar goed ook, want er is zoveel te vertellen. Over onze vakantie aan zee. En over Kofi.

De camping was één grote modderpoel toen we aankwamen. Alle caravans stonden op een kluitje bij elkaar. Net een bende witte olifanten. De regen kletterde op hun ruggen. Iedereen liep rond met een somber gezicht. Niemand zei wat tegen me, niemand maakte grapjes zoals jij, papa.

De volgende dag scheen gelukkig de zon. Eerst in de lucht en toen op mama's gezicht. Ze keek ons aan en zei:

'Zullen we?'

Ik knikte.

Mama lachte.

Net wat ik wou. Ik hield niet van de regen in haar ogen.

Het was druk op het strand. Grote en kleine kinderen renden heen en weer met een schepje of een bal, droegen water van en naar de zee, bouwden zandkastelen of holden achter een vlieger aan. Sommige ouders draafden met hun kleintjes mee. Maar de meeste grote mensen lagen op een badhanddoek en gaven geen krimp.

Andreetje kreeg meteen een verdwaalarmbandje om.

'Wat staat erop?' vroeg mama.

'Een eend.'

Mama knikte en wees naar de verdwaalpaal. 'Als je zoekraakt, ga je daarnaartoe. Er staat precies dezelfde eend op, zie je?'

Andreetje hield zijn hoofd schuin. Hij wees naar een andere verdwaalpaal een eind verderop. 'Ik wil die daar!' pruilde hij.

'Gaat niet, Andreetje. Die heeft een trein. En jij hebt een eend. Begrijp je dat?'

Andreetje schudde zo hard van ja dat zijn hoofd er dreigde af te vallen. Mama zuchtte opgelucht.

We zochten in het zand naar schelpen. Ik vond een wulk met de mondopening linksonder. Ik wou dat ik je hem kon laten zien, papa, want hij is erg zeldzaam, maar hij past niet door de hals van de fles. En het is zonde om hem in tweeën te breken.

We liepen over het strand tot aan het water. De zee rolde af en aan, knabbelde hongerig aan onze tenen. Nu en dan sloeg een golf stuk op onze enkels.

'Kijk daar!' gilde Andreetje opeens. 'Papa!' Hij wees naar een rode vlek op het water.

Je had het kunnen zijn, papa. Met je rode haar, nog roder dan een vuurtoren. Maar je was het niet. Het was een boei die op het water dobberde. Zo ver weg dat we er niet eens naartoe konden zwemmen.

'Andreetje, zwijg,' snauwde mama. 'Ik wil niks horen over papa, dat weet je.' Haar schouders zakten moe naar beneden. 'Kom, we gaan naar huis, het is tijd.'

'Toe, mama,' zeurde ik. 'Kunnen we niet nog wat langer blijven?'

Mama schudde haar hoofd. 'Ik moet voor het eten zorgen.'

'De caravan is vlakbij. Je ziet ons zo door het raam.' Mama aarzelde.

'Ik wil ook hier blijven,' pruttelde Andreetje.

'Goed dan,' zei mama tegen me. 'Maar zorg dat je je broertje niet uit het oog verliest.'

Een hele tijd ging het goed. Tot ik twee krabben zag die elkaar te lijf gingen. Ze draaiden rondjes, daagden elkaar uit, maar liepen uiteindelijk toch van elkaar weg. Ik probeerde hen met een stok weer naar elkaar te duwen, maar ze hadden geen zin meer in een gevecht. Toen ik opkeek, was Andreetje nergens meer te zien.

Ik rende alle kanten op, kamde koortsachtig het hele stuk uit tussen de twee golfbrekers. Ik vond hem niet.

Bij de verdwaalpaal met de eend stond een jongen. Maar het was de verkeerde jongen. Veel groter en ook veel dikker dan Andreetje. Hij was zelfs een kop groter dan ik. Net zo goed was hij blij dat ik naar hem toe kwam rennen. Hij stak zijn twee vuisten naar me toe, toonde me het touw waarmee hij aan de paal was vastgebonden. 'Ik ben Geronimo, opperhoofd van de Apaches,' zei hij. 'Maak me los.'

Verbaasd keek ik naar zijn kroeshaar en zijn zwarte huid.

'Ik was de indiaan en zij daar de cowboys,' legde de jongen uit. Hij wees met zijn kin naar het muurtje tegen de dijk waarop drie andere jongens gulzig aan een ijsje zaten te likken. 'Die verraders hadden me ook een ijsje beloofd. Maak me los, dan zet ik het hen betaald.'

'Ik heb geen tijd nu,' zei ik. 'Mijn broertje is zoek.' Ik draaide me om en liep weg.

'Indianen zijn de beste spoorzoekers, dat weet iedereen,' riep de jongen me na.

Meteen keerde ik op mijn stappen terug.

De jongen lachte zijn parelwitte tanden bloot. 'Ik heet Kofi,' zei hij toen ik het touw begon los te pulken.

'Sieben.'

Kofi had niet gelogen. In een mum van tijd had hij Andreetje gevonden. Bij de verdwaalpaal met de trein. Andreetje stond stilletjes te snikken, met een arm voor zijn gezicht.

Ik kon hem wel platdrukken van vreugde. En ook van kwaadheid. Ik deed het maar niet, hij hing vol snottebellen. 'Wat had ik je gezegd over die stomme paal?' gromde ik. 'Mama vermoordt me als ik zonder jou thuiskom!'

Andreetje stak zijn arm naar me uit en keek me met grote, beschuldigende ogen aan.

'Wat!? Waar heb jij die armband met die trein vandaan!?'

'Geruild,' zei Andreetje. Zijn lip begon opnieuw te trillen. 'Je had niet gezegd dat dat niet mocht.'

Kofi barstte in lachen uit.

Ik had het kunnen bedenken. Kofi wou een vindersloon. Iets lekkers, zei hij. Ik keerde mijn broekzakken binnenstebuiten en schudde mijn hoofd. Kofi keek zo beteuterd dat ik medelijden met hem kreeg. Ik zei dat hij maar met ons mee moest gaan, dat ik het aan mama zou vragen.

Ik peperde Andreetje in dat hij niks tegen mama mocht verklappen. Kofi had hem gevonden, maar kon hem ook zo weer doen verdwijnen, dreigde ik. Niet aardig van me, maar het hielp. De rest van de avond zei Andreetje geen woord meer.

Ik vroeg mama of Kofi met ons mee mocht eten. Het mocht. We aten frieten met kip en sla en hadden ijs toe. Kofi schepte telkens opnieuw bij. Dat moest wel, zei hij met een ernstig gezicht, want hij was ontdekkingsreiziger en dus wist hij nooit of hij de volgende dag wel voldoende eten zou vinden. Het was de eerste keer dat ik mama zag glimlachen. Ze vroeg of Kofi nog broers en zussen had. Kofi vertelde dat hij nog vier zussen had, maar die waren bij zijn moeder en zijn grootmoeder.

'En je vader?'

Kofi haalde zijn schouders op.

'O,' zei mama. Ze deed nog een extra schep slagroom op zijn ijs. 'Woon je in de buurt?'

Kofi knikte en wees vaag naar het strand.

De volgende ochtend was Kofi terug. Met een vinger tikte hij hard tegen het raampje waar ik sliep. Ik trok snel warme kleren aan en glipte naar buiten. Het was nog erg vroeg, want de lucht was nog half-donker. Boven onze hoofden bengelde een maansikkel slaapdronken naast een grijze wolkensliert.

'Wat moet je?' geeuwde ik.

'Ga je mee strandjutten?' vroeg Kofi.

Ik keek achterom. In de caravan was het stil.

'Wacht, ik leg even een briefje voor mama op de tafel.'

'Neem ook wat boterhammen mee,' zei Kofi. 'En als het kan ook wat chocola.'

De zee was helemaal achteruitgekropen en had een hoop rommel op het strand uitgespuwd. Wier, plastic flessen en stukken drijfhout. Kofi pakte een grote stok vast en keerde het aangespoelde wier om en om.

'Wat dacht je te vinden?' grijnsde ik. 'Een schat?'

Kofi keek me vreemd aan. Toen lachte hij met me mee. 'Eergisteren vond ik een fles whisky,' zei hij. 'Nooit opengemaakt. Kreeg ik 20 euro voor.'

Triomfantelijk stak ik een haaientand omhoog. 'Nummer 13 in mijn collectie.'

Kofi schrok. 'Dertien? Niet goed. Weggooien. Onmiddellijk!'

'Ben je gek? Alsof haaientanden zomaar voor het rapen liggen.'

'Het brengt ongeluk. Weg ermee!' Kofi tikte zo heftig met de stok tegen mijn hand, dat ik de haaientand met een kreet liet vallen.

'Hé, ben je gek!?' Ik wou zijn been vastgrijpen en hem tegen de grond gooien, maar Kofi was me te snel af. Als een pijl uit een boog rende hij van me weg, dwars over de golfbreker naar het stuk strand ernaast.

Ik was niet van plan om hem achterna te gaan en woelde tevergeefs door het zand, op zoek naar de haaientand.

Opeens hoorde ik Kofi luid schreeuwen. 'Sieben, kom nou kijken! Je gelooft je ogen niet!'

Ik vergat dat ik boos op hem was en holde hem nieuwsgierig achterna.

Vanuit de verte leek het alsof er een dikke vrouw op het strand hard lag te huilen. Maar toen ik dichterbij kwam, zag ik dat het geen mens was, maar een vis. Een bruinvis. Hij maakte rare, schreeuwerige geluiden en spuugde water.

'Hij leeft nog,' zei Kofi. 'We moeten hem natmaken en weer in het water duwen.'

'Dat beest is misschien ziek. Daar kun je beter niet aankomen. Moeten we de politie niet waarschuwen?'

'Duurt veel te lang, tegen die tijd is ie dood.'

Het was niet makkelijk, papa, om zo'n vis te verslepen. Hij was vies en glibberig en haast net zo groot als ik. Het ergste vond ik nog die akelige geluiden. Alsof hij wou zeggen dat hij genoeg had van altijd maar onderweg te zijn. Toen ik dat tegen Kofi zei, werd hij helemaal stil. 'Een vis hoort niet eens na te denken,' gromde hij toen. 'Die moet gewoon zwemmen.'

We sleepten het beest naar de zee. Gelukkig werd het net vloed. Het water tilde de bruinvis uit onze handen en voerde hem mee. Kofi en ik sloegen de armen om elkaars schouders en bleven hem nastaren tot hij in de golven verdween. Stilletjes had ik spijt dat we hem zomaar hadden laten gaan. 'Nou ja, hij heeft tenminste een kans,' mompelde ik.

'Ja,' zei Kofi. 'Een waterkans.'

Was dat een grapje?

We waren doornat. Kofi sprokkelde wat hout bij elkaar en maakte een vuurtje.

'Dat heb je vaker gedaan,' lachte ik.

Kofi trok zijn schouders op. 'Zoiets leer je snel,' zei hij. 'Zeker als je het koud hebt.'

De zon kwam op. De zee gloeide. Nat vuurwerk. Rood en purper.

'Ik wou dat papa hier was,' zei ik. 'Zoiets moois heb ik nog nooit gezien. En papa vast ook niet.'

Kofi draaide zijn gezicht naar me toe. 'Vertel me over je vader,' zei hij.

Mama had me verboden om je naam nog uit te spreken. Maar dat kon me niet meer schelen. Kofi was mijn vriend. Ik vertelde hem alles. Over de avond toen je wegging. Over de Grote Ruzie. Over het regengordijn waar we amper doorheen konden kijken. En hoe het daarna

59

begon te stormen. Hoe de bliksem opeens uit je mond glipte en een barst in de hemel rende toen je *Takkewijf!* riep en mama de rug toekeerde. Hoe de lucht er meteen donder op zei.

Weet je nog hoe de waterdruppels je op de schouders tikten? Hoe de wind je in de oren schreeuwde terwijl je het tuinpad af liep en de koffers driftig in de auto duwde? Ik rende achter de auto aan, zwaaide met beide handen toen je wegreed. Weet je nog, papa?

Kofi zei eerst niets toen hij het hoorde. Dacht hij aan zijn eigen vader? Ik durfde er niks over te vragen. Misschien kende hij hem niet eens. 'Je moet hem een boodschap sturen,' zei hij toen.

'Ik weet niet waar hij is,' zei ik. 'Papa laat niks van zich horen.'

'Flessenpost,' zei Kofi heel beslist.

Zo is het gebeurd. Kofi heeft me precies gezegd hoe het moest. Hij heeft alles geregeld.

We zouden de flessenpost samen in zee gooien. Maar dat gebeurde niet. Tot mijn verbazing kreeg ik de volgende dag zelf flessenpost. Mama vond de fles bij het trapje van de caravan. Ze had de boodschap gelezen. Dat was niet de bedoeling. Ik zag het aan haar gezicht. 'Voor jou,' zei ze. 'Van Kofi.' Ze ging weer naar binnen en klapte de deur hard achter zich dicht.

Kofi schreef dat hij weg moest. Een ontdekkingsreiziger kon nu eenmaal niet lang op dezelfde plek blijven. Soms is er verte en dan moet je daarheen. Dat had hij niet zelf bedacht. Dat had hij ergens gelezen. Maar daarom was het niet minder waar, zei hij.

Ik rende naar het strand. Maar Kofi was verdwenen.

We reden met de caravan naar huis. Mama had duidelijk geen zin om te praten en dus zette ik de radio aan. Niet te hard, want Andreetje lag op de achterbank te slapen.

Gisteren heeft de politie op het strand zes mensen opgepakt die illegaal in ons land verbleven. Een vrouw met haar moeder en vier dochters. Naar verluidt overnachtten ze in de strandcabines. Een jongen uit het gezin kon ontsnappen. Hij...'

De beschrijving klopte helemaal. Het was Kofi. Hij was onvindbaar. Net als jij, papa. Ik zette de radio uit en keek opzij naar mama. Ze keek niet terug, maar staarde door het raam naar de weg. Ze zei niks. Ik weet zeker dat ze niet aan Kofi dacht, maar aan jou, papa. Alleen aan jou.

Sieben

Francine Oomen
Lena's vakantie

Ik ben gegroeid in de vakantie.
Veertien centimeter. Dat is hartstikke veel!
Eens in de paar maanden ga ik
tegen de muur van de badkamer
aan staan en dan zet mama een
streepje, met de datum erbij. Nu
deed ik het zelf, dat gaat ook. Gewoon een potlood plat op je hoofd
houden.
Ik vraag me af waar die veertien
centimeter zijn gaan zitten. In mijn
benen? Of zou mijn hoofd heel erg
gegroeid zijn? Ik hoop maar dat
het een beetje normaal verdeeld is.
Vanaf nu ga ik al mijn onderdelen apart opmeten.
Dan kan ik de boel een beetje in de gaten houden. Stel je
voor dat ik opeens heel lange armen krijg. Of een lange
nek! Of dat mijn neus opeens een groeispurt krijgt. Of
mijn oren. En zou mijn tong ook groeien? Help!

Ik moest kokhalzen van het opmeten van mijn tong.
Getver. Ik weet niet eens precies waar hij begint. Dat was
dus ook het probleem.

En ik heb een touwtje om mijn hoofd gedaan. Als ik
een waterhoofd begin te krijgen, kan ik maar beter gauw
naar de dokter gaan.

Het was een rare vakantie.
De eerste sinds mijn vader
en mijn moeder gescheiden
zijn.

Ik ben met papa twee
weken in Italië geweest en
daarna met mama drie
weken in Zuid-Frankrijk. En
veel ijsjes dat ik op heb! Dat
geloof je niet.

Met papa was het in het
begin een beetje saai, maar ook wel lachen. We hebben
een trektocht gemaakt door de Apenijnen of hoe die
bergen ook heten. Geen aap gezien, hoor.

Met zijn drieën.

Nee, niet met papa's nieuwe vriendin, want dat wil ik
absoluut never nooit niet.

Met een ezel. Dat was het lachen-gedeelte. Want die ezel wilde óf niet vooruit, óf niet stoppen. Je had papa eens moeten zien.

De ezel droeg onze bagage en we sliepen in berghutten, onder kriebelige stinkdekens waar al minstens 130 Duitsers, 71 Fransen, 30 Belgen en 12 schapen onder gelegen hadden. Zo rook het tenminste.

Het was ook wel mooi, hoor, zo hoog in de bergen. Maar ik kan wel een leukere vakantie bedenken voor een meisje van twaalf. Bijvoorbeeld:

Drie weken in Disneyland

Een maand op Hawaï in een strorokje en met kokosnotenijs

3

Een reis om de wereld in een grote luxe boot met bediening

4

Een safari met een jeep door Afrika

5

Een leuke camping met een pingpongtafel en een heleboel andere kinderen

Na een week door de bergen rondzeulen met die twee koppige ezels, heb ik mijn vader dit lijstje gegeven. Eigenlijk moesten we nog een week, maar ik denk dat papa stiekem heel opgelucht was, want hij kon die ezel niet meer zíén. Hij had blaren in zijn handen van het vooruittrekken van dat beest en hij zat helemaal onder de schrammen en sneeën omdat de ezel in een ravijn was gerend en er niet meer uit kon. Papa wilde hem eerst achterlaten, maar hij stond als een idioot te balken (de ezel), dus het viel een beetje op.

Mijn vader zei dat hij helaas geen geld had voor nummer 1, 2, 3 en 4 op het lijstje en dus zijn we naar de kust gegaan, naar een camping. De ezel hebben we achtergelaten in zo'n berghut. Daar werd hij opgehaald door de reisorganisatie. Ik denk dat hij ook blij was dat hij niet verder hoefde. We hadden namelijk nogal veel bagage bij ons.

De tweede week aan zee was heel leuk. Ik heb papa bijna niet gezien, hij lag de hele tijd te snurken in een hangmat, zo moe was hij van al dat geloop. En als hij wakker was, zat hij te bellen met die stomme Ella-tuttebella, want zijn mobiel deed het niet in de bergen en daarom moest hij inhalen.

Ik zal eens een lijstje maken met troetelnaampjes die hij voor haar heeft:

1. Konijntje
2. Pluizebolletje
3. Koektrommeltje (Hoe verzint hij het!)
4. Soesje (Pfff)

5. Poesje (Zo noemt hij mij wel eens, ZO MAG HIJ NIEMAND ANDERS NOEMEN!!)

Knét-ter-gek als je het mij vraagt. Grote mensen die verliefd zijn, veranderen opeens in totale debielen. En dat waar hun eigen kinderen bij zijn. Die week aan zee was dus heel leuk, maar een beetje kort. Drie dagen voordat we weggingen, had ik net een vriendin gevonden. Ze kwam uit Eindhoven en ze heeft me Brabants geleerd. Dat spreek ik nu vloeiend. 'Heddegij-ons moeder gezien? Houdoe! Ik heb een bietje pien in de buuk.' Er waren ook jongens, maar die zaten alleen maar stom te doen. Dus daar hebben we ons niet mee bemoeid. Toen de week om was, bracht papa mij met de trein naar de Dordogne. Mama was daar al. Hou je vast: in een tehuis voor alleenstaande vakantie-ouders of zoiets. Nee, ik zeg het niet goed, een huis waar allemaal vaders óf moeders met hun kinderen waren. Geen getrouwde ouders dus. Allemaal gescheiden. Poeh, poeh, wat een gedoe.

Er waren heel veel activiteiten:

1. Schminken
2. Spoorzoekertje doen in het bos
3. Poppenkast
4. Pootjebaden in de rivier
5. Indiaantje spelen

Je begrijpt dat ik hier ietsjes te groot voor ben. Mijn moeder had niet goed in de folder gekeken. Ze wilde volgens mij zo graag naar dit tehuis omdat ze een nieuwe vriend wil.

Nou, lekker dan. Zat ik daar opgescheept met 21 nultot vijfjarigen.

En ik ben echt niet van plan later kleuterleidster of crèche-mevrouw te worden of zo. Als er één haartje op mijn hoofd daarover dacht, is dat nu wel verdwenen. Ik kan geen kleuter meer zien.

Gelukkig werd het de tweede week een stuk beter. Toen kwam er een nieuwe lading loslopende ouders. Met nog een toevallig slachtoffer van een verstrooide moeder.

Dat was Peet, samen met zijn moeder Andrea. Mijn moeder, die nog niemand had gevonden om verliefd op te worden, werd meteen dikke vriendinnen met haar, en omdat we allebei niemand anders hadden, gingen Peet en ik samen indiaantje spelen en zo. Dat was lachen.

Peet had binnen de kortste keren al die kleuters aan een paal vastgebonden en toen gingen wij het bos in. Wat een geblèr. De legerleiding, oeps, sorry, de amusementsleiding vond het minder leuk, want die had een dagje vrij en wij zouden die kleuters wel bezighouden.

Peet is veertien, stokoud dus, en erg knap. Nee, we hebben niet gezoend. Daar ben ik nog niet aan toe. Eén keer bijna, maar ik kreeg de slappe lach en toen hoefde hij niet meer.

Maar het was wel leuk.

Peet en Andrea wonen niet zo ver bij ons uit de buurt, aan de andere kant van Amsterdam.

Ook toevallig. Ze komen volgende week op bezoek.

Nou, dit was dus mijn vakantie:

1. Brabants geleerd
2. Ongeveer 141 ijsjes gegeten
3. Peet
4. Een hekel aan kleuters en ezels gekregen
5. Een verbrande neus met vellen en veertien centimeter gegroeid!

Kaat Vrancken
Het geheim

'Ga jij maar naar buiten, Pepita.' Mijn baasje opent de tuindeur. Ze heeft bezoek en wil mij liever niet in de buurt. Hmm, lekker snuffelen en plassen op de molshoop. Zou Pixie nog langskomen? Misschien zit Kathy op het muurtje? Nu kan ik nog wat graven in de tuin, straks moet ik weer op reis. Ik heb een hekel aan reizen. Maar mijn baasje is er gek op. 'Pepita, jij mag mee,' zegt ze dan. Móét mee, bedoelt ze. Wij, honden, moeten alles, mogen niets. Als ze roept: 'Pepita, we gaan weg,' móét ik kwispelstaarten, naar haar toe rennen, gaan zitten zodat zij het riempje met de belachelijke glittertjes rond mijn hals kan klikken. Ik doe alles wat mijn baasje wil. Zelfs als ze mij een jasje aantrekt (grrr), blijf ik onbeweeglijk zitten. Soms steekt ze zelfs een speldje in mijn krullen!

Vanavond zullen we vertrekken. Voor de allerlaatste keer. Maar dat weet mijn baasje nog niet. Want ik heb een geheim. Yahoehoehoe!

Mijn baasje heeft een koffer volgepropt met jurken en

jassen voor zichzelf (gelukkig niet voor mij!).
'Pepita,' zal ze zeggen. 'Jij en ik trekken de wijde wereld in.' De wijde wereld in? Lik mijn oor. De auto in, ja. De trein of het vliegtuig in. En heel de reis moet ik mijn plas ophouden. We slapen in een hotel waar ik op een kussen naast het bed moet liggen (geef me toch gewoon een hok in de tuin!). 's Ochtends moet ik poepen op een piepklein stukje gras. Niks aan, daar valt niets te snuffelen. Ik weet nu al precies wat er zal gebeuren: we gaan naar een plek waar de mooiste honden van de wereld samenkomen. Duizend geuren, samengeperst in één gebouw. Zoveel geblaf, gejank en gekef dat mijn oren ervan jeuken. Maar het is nu eenmaal mijn werk: deelnemen aan schoonheidswedstrijden. Daarom reist mijn baasje zo veel en moet ik mee. Grrr. Ik haat vreemde tweevoeters die mij bekijken en betasten. Ik krijg dorst van de verstikkende lucht in het gebouw, en ik durf niet te drinken want dan moet ik plassen. Ik kan al die opgedirkte honden niet meer ruiken. Ze stinken naar shampoo en parfum. Nooit heb ik er één vriend gemaakt. De meeste honden zijn jaloers op elkaar. Ze zouden elkaar liever naar de keel vliegen dan elkaar te besnuffelen.

'Pepita, kop recht,' zegt mijn baasje als ik aan de beurt ben. Ze bedoelt: niet snuffelen en staart omhoog. Ik doe mijn werk zoals het moet. Dus richt ik mijn staart als een antenne naar het plafond en zet ik mijn *ik-ben-hier-de-mooiste-blik* op. En ja hoor, soms win ik een prijs. Mijn baasje gooit dan haar armen in de lucht en roept: 'We hebben gewonnen!' Maar dat klopt niet. Ik heb gewonnen, niet zij. Hoe meer prijzen ik win, hoe meer geld ik

71

waard ben. En hoe duurder zij mijn pups kan verkopen. Denkt ze.

Al jaren doe ik alsof ik mijn baan leuk vind. Ik kan niet anders. Ik ben hondstrouw en wil mijn baasje gelukkig maken. Zo ben ik geboren. Het zit in mijn bloed. Mijn ouders hadden dat ook, mijn grootouders, mijn overgrootouders en mijn betovergrootouders, allemaal wilden ze hun baasje gelukkig maken. Katten zijn helemaal anders. Die doen waar ze zin in hebben.

'Pepitaaa, ik snap jou niet,' zegt Kathy, de kat van de buren. 'Waarom wil jij altijd werken voor je baasje?' Ze zit op haar vast plekje op de muur en likt haar linkerpoot schoon. 'Is dat nu typisch honds?' Kathy bestudeert haar nagels. Ze trekt ze in en uit.

'Weet je, Pepitaaa,' zegt ze. 'Neem een voorbeeld aan mij. Ik ben de baas in huis. Als mijn kattenbak niet proper is, poep ik ernaast. Als de melk zuur is, blijf ik miauwen en als de korte tweevoeters mij plagen, krab ik rode strepen op hun vel.' Ze begint aan haar andere poot te likken.

Ik steek mijn snuit in de lucht. We hebben dit gesprek al zo dikwijls gevoerd.

'Kathy, honden zijn nu eenmaal anders dan katten.'

'Tuut tuut, Pepitaaa.' Ze tuurt naar het tuinpoortje. 'Hij daar is toch ook een hond en hij doet wel waar hij zin in heeft. Hoe verklaar je dat dan?'

Ik sper mijn neusgaten wijd open. Daar, Pixie! Ik ren naar het tuinpoortje en kwispelstaart als een gek. Pixie komt elke dag langs, zelfs als ik voor mijn werk op reis ben. Dan zit hij uren aan het tuinpoortje te wachten, zegt Kathy.

'Mag ik?' vraagt Pixie en hij wringt zich onder het poortje door. Het lukt hem elke keer opnieuw want hij is kleiner dan ik. We besnuffelen elkaar gretig. Zijn snuit en zijn bek ruiken zalig. Naar natte aarde en dode muis. Hmm. 'Heeft ze jou wéér gewassen?' vraagt Pixie. Vastberaden likt hij de zeepgeur van mijn vacht. Ik geniet van zijn tong op mijn rug. 'Kom, liefje, ga je mee?' Pixie brengt me helemaal tot achter in de tuin, vlak bij een verse molshoop. Vanaf het muurtje kijkt Kathy ons na. Ik heb geluk dat mijn baasje bezoek heeft van een andere tweevoeter. Dankzij hem is ze mij helemaal vergeten. En ik haar.

'Pepita!' Mijn baasje roept. Stom. Ik moet naar binnen. 'Toe, nog één keer,' keft Pixie. En samen draaien we ons nog eens in de vogelpoep. 'Pepita!' Mijn baasje wordt boos. Ze wil vertrekken, de wijde wereld in. Maar het is echt de allerlaatste keer dat ik met haar op reis vertrek. Binnenkort zal ze mijn geheim ontdekken. Ze zal helemaal niet blij zijn, want... ik ben zwanger! Yahoehoehoe! Gedaan met werken! En mijn pups hoeven nooit of te nimmer deel te nemen aan schoonheidswedstrijden, dat weet ik zeker. Want Pixie, hun vader, is een straathond. Yahoehoehoe!

Judith Eiselin
Een hoop steen

Zit ik op de veranda van het kleine slaaphuisje mijn sokken op te hijsen, staat zij opeens voor me. Met haar blije gezicht en haar blonde haren. Of ik 'gezellig' mee kom om te ontbijten. Alsof we bij elkaar horen, zij en ik. 'Ik ben al even gaan kijken. De tafel is gedekt, met eieren, er is brood en een speciaal soort krentenbollen. En daarna gaan we een cap uitzoeken! En dan krijgen we ons paard voor de rest van de week toegewezen!' Ze jubelt haast.

Ik kom heus wel. Zo meteen. De grond is nat alsof het vannacht geregend heeft, de lucht heel stil, als op een schilderij. Grijs. Maar je kunt heel ver kijken. In het dal verderop ligt een groot meer te glimmen. Ik moet toegeven dat het hier mooi is.

Anne heet ze. Ze is niet mijn zus, ze is de dochter van Gerard, de vriend van mijn moeder. Anne houdt van kleren. Haar rijbroek is gestreept in meisjeskleuren, haar donsjack stoplichtrood. Toevallig komt er net een sms'je binnen. Ik grabbel naar mijn telefoon, lees het bericht heel aandachtig, schuif dan het mobieltje weer dicht en sta langzaam op. Al die tijd doe ik alsof ik Anne niet zie. Maar ze staat er nog steeds.

'Je moeder zeker,' zegt ze. 'Ze gaan vandaag de bergen in hè?'

'Hm,' antwoord ik.

Ik loop achter haar aan het grote huis binnen. In de eetkamer zitten de andere deelnemers aan ons paardenkamp al aan tafel. Naast de enige andere jongen – Rick heet hij geloof ik – is nog een stoel vrij. Goed. Thee. Op mijn brood smeer ik pindakaas en jam. Dan tikt de kampcommandant tegen zijn kopje. Gelukkig versta ik zo ongeveer wat hij zegt, in het Engels. Onze eerste rit zal drie uur duren, ik krijg een paard dat Blakkur heet. Vast een zwarte.

Aan de andere kant van de tafel kluift Anne met een frons op haar gezicht de binnenkant van een boterham uit de korst. Door haar beugel kan ze de korst niet eten. Ze houdt eindelijk eens haar klep.

Er zijn hier nergens bomen. Vanuit het vliegtuig zag IJsland eruit als een grauwe hoop steen, bestrooid met hier en daar een glanzende munt. Ik begreep het eerst niet, maar dat waren natuurlijk meren, bevroren meren misschien wel. Met de grauwheid viel het mee, eenmaal uit het vliegtuig bleek alleen al de bodem uit allerlei kleuren te bestaan. Stoffig rood, grijsgroen, diarree-geel en zelfs lichtblauw, het zit hier zomaar in de grond. Ook het licht is totaal anders dan thuis. Alsof het allemaal niet echt is, een schilderij of nee, een immens filmdecor.

Ik weet niet wat mijn rol erin is. Anne duikt alweer naast me op. We staan intussen buiten te wachten tot de paarden komen. Zij heeft al een borstel en een hoevenkrabber in de aanslag.

Mijn moeder heeft me tijdens het ontbijt nog een keer ge-sms't. Je zou haast denken dat ze zich schuldig voelt. Misschien maakt ze zich zorgen of ik het wel red hier. Wie weet mist ze me zelfs, heeft ze spijt dat ze me hier zomaar heeft achtergelaten, met nepzus Anne. Net goed. Ik geef lekker geen antwoord. Ze staat nu met Gerard bij een beroemde geiser, meldt ze, een rookpluim uit de grond zoals je die op IJsland veel hebt. Eronder zit een lavapoel verscholen. Ik hoop dat ze erin vallen. Nou ja, hij. Schreeuwend verdwijnt hij, lost hij op in de borrelende grond. Dan kan Anne terug naar haar eigen moeder, en de mijne naar mij, en wie weet komt mijn vader dan ook nog wel bij ons terug.

'Kijk,' zegt Anne. 'Wauw...'

Er klinkt geblaf en hoefgetrappel. De vier zwart-witte boerderijhonden drijven de kudde paarden over de weg beneden ons. Bruine paarden, witte paarden, voskleurige paarden, bonte paarden, zwarte paarden, ze stonden eerst te grazen langs de oever van het meer. Nu stormen ze vooruit, zo dicht opeen gepakt dat het wel een levende rivier lijkt. De honden jagen ze op tot ze vlak bij ons een omheind stuk land in stromen. De kampcommandant doet het hek dicht. Hij geeft ons allemaal een halster en wijst aan welk paard bij wie hoort.

Paarden. Ik vind ze best leuk. Niet dat ik een paardengek ben, natuurlijk niet, dat zou raar zijn voor een jongen. Maar de paardrijlessen thuis zijn stukken minder erg dan volleybal, voetbal, handbal, hockey en al die andere sporten waar ik op heb gezeten. In de manege ruikt het lekker, net als hier. Alleen hoef ik daar nooit zomaar een paard op te halen uit een kluwen loslopende paarden, en wordt dat hier schijnbaar wel verwacht. De paarden staren ons aan.

'Geef maar,' zegt Anne. Ze trekt het halster uit mijn handen. 'Die zwarte, toch? Ik moet die witte ernaast hebben.'

Daar gaat ze al, mevrouw bemoeial. Ze waadt door de paardenzee met zo'n grote grijns op haar gezicht dat ik haar beugel kan zien schitteren.

Blakkur is klein, harig, eerder donkergrijs dan zwart, en idioot vies. Grote kluiten aarde hangen in zijn buikhaar en tussen zijn voorbenen. Ik borstel hem, dat vindt hij best, het lijkt wel een aardig, rustig beest. Om me heen kakelen en kirren mijn kampgenoten.

In gedachten hoor ik de stem van Gerard. Hij preekt tegen mijn moeder.

'Het zou zó goed voor Kurt zijn, zo'n kamp, lekker met andere kinderen, lekker bewegen in de buitenlucht, lekker vriendjes maken. Anne geniet er altijd erg van. Wie weet, misschien wordt hij dan eindelijk wat toeschietelijker ook. Zo kunnen zij samen een band opbouwen.'

Mooi niet, dus. Ik heb helemaal geen behoefte aan een bemoeizieke trut als nepzus. Het is al erg genoeg dat mijn moeder zo veranderd is. Ze ziet er gestoord uit met haar nieuwe wandelschoenen, haar korte kapsel en het grote windjack dat ze van Gerard kopen moest. Ik ben niet van plan ooit iets te doen wat hij wil. En ook zijn dochter kan door de plee zakken.

Kriskras door elkaar klimt iedereen op zijn paard. Op de manege staan we voor de les allemaal stil, netjes op een rij, en stijgen dan tegelijk op. Het is echt een zooitje hier. Aan het hoofdstel zit niet eens een keelriem. Straks glijdt het af tijdens het rijden! De geleende cap op mijn hoofd staat scheef en we moesten allemaal een oude oliejas aan, een soort vettig aanvoelende, dikke regenjas. Die van Anne is haar zeker zes maten te groot, haar handen steken klein en bleek uit de mouwen.

In een wanordelijke rij verlaten we het erf. Eigenlijk zijn dit geen echte paarden, daar zijn ze te klein voor. Maar ja. De grond mag dan dichtbij zijn, hij ziet er wel erg hard uit, met kuilen en barsten en rondslingerend grind. Blakkur lijkt wakker te worden. Ik voel hoe enorm sterk hij is, zijn korte benen schieten onder me heen en weer. Hij stapt zo snel dat het is alsof we al draven. Ik raak in de knoop met mijn vingers, de teugels en zijn gigantische bos manen.

'Relax,' zegt de kampcommandant, die naast me komt rijden. 'Just relax.'

Dat kan hij nou wel zeggen, maar Blakkur lijkt er toch heel anders over te denken. Hoor ik Anne daar lachen? Ik trek de teugels naar me toe. Maar het helpt niets, integendeel, we gaan nog sneller vooruit dan eerst. De kampcommandant buigt zich naar voren, strekt zijn arm langs de hals van zijn eigen paard, en grijpt de teugels van de mijne.

'Reláx,' zegt hij weer. Hij trekt de teugels uit mijn handen, zodat ze bijna los komen te hangen.

'Good,' zegt hij.

Zo heb ik helemaal geen controle, wat nu als het paard ervandoor schiet? Maar tot mijn verbazing gaat Blakkur langzamer lopen, nu hij meer teugelruimte heeft. Dan doet de kampcommandant, laat ik hem voortaan maar Stefan noemen (want zo heet hij), nog een greep naar mijn knie. Hij schudt aan mijn been en trekt de stijgbeugel zomaar van mijn voet! Grijnzend wijst Stefan op zijn eigen achterwerk.

'Just sit.'

Ik vind het niks, dat paard zijn gang maar te laten gaan. Maar het werkt. Blakkur dribbelt niet meer zo, hij loopt nu gewoon kalm onder me.

Er staan nergens hekken op IJsland, er zijn geen ruiterpaden, wegen of wegwijzers, je kunt zomaar alle kanten op. We stoppen na een tijdje bij een beekje. Iedereen laat zich van zijn paard zakken. Stefan laat zien hoe we de teugels over de hoofden moeten halen, om de paarden te laten drinken. Dan zakt hij zelf door zijn knieën. Hij drinkt uit de beek! Zomaar pal naast zijn paard. Anne is de eerste die zijn voorbeeld volgt, daarna bukken ook anderen. Maar ik weet het niet hoor. Er liggen allemaal steentjes in dat water, en op sommige groeien kleine plantjes. Misschien zitten er ook wel vissen in! Of kikkers! Ook al heb ik erge dorst, ik wacht wel tot de volgende stop, als we echt te drinken krijgen, uit een thermosfles.

We stijgen weer op en volgen de beek, omhoog, de berg op. Ik kijk zo min mogelijk naar beneden. De grond is bezaaid met scherpe kiezels, keien, prikstruikjes. Straks blijft Blakkur haken, of struikelt hij. Stefan roept weer 'Relax!'.

Thuis heb ik intussen drie maanden les op de manege. We rijden daar altijd in de binnenbak, in het zand. In het midden staat de instructeur die precies zegt wat we moeten doen. We maken rondjes en slingers, soms moeten we halt houden of schuin oversteken: van hand veranderen, heet dat. De paarden lopen braaf achter elkaar aan.

Deze tocht op IJsland heeft niets met die manegelessen te maken, de enige overeenkomst is dat ik op een paard zit. Verder is alles anders, het sturen, het stoppen, alles. Deze paarden sjokken niet zomaar achter elkaar aan. Anne haalt me ineens in, haar been schampt langs het mijne. 'Sorry hoor!' roept ze breed lachend. Ze straalt. Haar paardje is wit, met extreem lange manen.

Als ik probeer licht te rijden in draf, zoals ik dat thuis geleerd heb, kijkt Blakkur verbaasd achterom. Stefan ziet het. Hij lacht erom.

'Just sit. Relax.'

Meer dan ooit heb ik het gevoel dat ik in een film meespeel. Niet dat iemand mij ooit voor een filmrol zou vragen, maar moet je kijken, ik rijd op een paard met losse teugel door een soort ouderwets rotslandschap waar helemaal niemand woont. Er is de aarde. De lucht, met een vogel in de verte. En wij.

Af en toe steekt Stefan zijn hand op, dat betekent dat we moeten stoppen. Bij een gek gevormde steen bijvoorbeeld, of een waterval. Of bij een hoop gestapelde keien. Hij begroet die plaatsen, hij zet zijn hoed af en knikt plechtig. Ik doe hem na, dat lijkt me wel beleefd. IJslanders geloven in natuurgeesten, dat had Gerard al gezegd.

Bij een tweesprong met een erg hoge hoop stenen, van groot naar klein opgestapeld, draait Stefan zich om in het zadel en lacht naar me.

'For love.' Hij wijst eerbiedig op de hoop.

Love? Wat heeft een stomme hoop stenen daar nou mee te maken? Ik knik maar weer eens ernstig. Stefan knikt ook. Dan springt hij van zijn paard en komt naar Blakkur toe. Hij snijdt met een mes een plukje van zijn manen. Hij lacht geheimzinnig, klopt mij op mijn knie, windt de haarpluk rond zijn vinger en stopt hem ergens tussen de stenenhoop.

Zigzaggend rijden we verder. We klimmen steeds hoger. En dan zien we ineens de zee, ver, ver beneden ons. Nu dalen we af. We volgen een pad helemaal tot het eind van de berg, waar we pal boven de golven uitkomen. Het is een natuurlijke uitkijkpost: een grote platte rots steekt als een veranda uit boven het water. We stijgen af. Ik voer Blakkur aan de teugel mee het plateau op.

'Wauw,' mompelt Anne die naast me komt staan. 'Mooi hè?'

Daar heb je haar weer hoor. Waarom laat ze me niet met rust?

Stefan doet voor hoe hij zijn teugels op de grond laat hangen. De paarden blijven dan wel staan, zegt hij, vastbinden is niet nodig. Lunchtijd.

'Je zus zit te pissen, achter die rots!' roept Rick.

'Dat ís mijn zus niet,' grom ik, maar hij hoort me niet. Hij loopt rond met een dure camera, met een bijzonder soort flits erop en maakt voortdurend foto's. De meisjes zitten op de grond en kauwen op hun brood. De paarden staan een eindje verderop op een kluitje. De meeste hebben hun ogen half dicht.

Maar dan maakt Rick ineens van erg dichtbij een foto van een van de paarden. In minder dan een seconde heft het dier zijn hoofd, snuift en zet het op een lopen. Voor we begrijpen wat er gebeurt, gaan alle andere paarden erachteraan! De teugels slingeren om hun benen. Geschrokken springt iedereen op. Verbluft zie ik Blakkur steeds kleiner worden, zij aan zij met het witte paard van Anne.

Stefan is erg bezorgd. Als de paarden in hun teugel gaan staan, kunnen ze hun benen breken. Hij snauwt tegen ons en jaagt ons op. Een aantal meisjes huilt. Anne niet. Die loopt met een verbeten trek op haar gezicht naast me, zo te zien vastberaden om hoogstpersoonlijk de paarden weer te vangen.

Dit is het moment dat de zon plotseling besluit door te breken, waardoor we in onze rijbroeken en oliejassen al gauw stikken van de hitte. Waar zijn de paarden gebleven?

We zijn alweer bij de tweesprong waar de hoop stenen ligt die 'love' zou betekenen. 'Daar!' roept iemand. En ja. Heel in de verte, vlak onder de top van een berg, zijn de paarden tot stilstand gekomen. Stefan telt ze. Maar ik heb het al gezien. Er zit geen zwarte tussen. En ook geen witte.

Anne trekt aan mijn mouw. 'Die van ons zijn weg!' Waar is Blakkur gebleven? Een paard kan toch niet zomaar in het niets oplossen?

'Go look there,' zegt Stefan. Hij wijst naar een inham achter de hoop stenen. 'We'll wait for you.'

Er loopt een soort minipaadje omlaag, tussen de rotsen door. Het is erg steil. Anne gaat voetje voor voetje voor me uit. Haar paardenstaartje hangt er verpieterd bij. Ik hoor haar zuchten.

'Misschien zijn ze wel omlaag gestort,' zegt ze. Haar stem klinkt plotseling huilerig.

Even weet ik niets te zeggen. Ik had me ook voorgenomen niet met haar praten. Maar ja.

'Ze zijn het wel gewend,' zeg ik dan. Ze kennen hier de weg.' Het klinkt een beetje schrieperig, alsof een oud mannetje praat. 'We vinden ze wel...'

Ze glimlacht bibberig naar me en gaat bijna onderuit. Ik pak net op tijd haar hand.

Helemaal onder aan het kronkelpad, helemaal beneden aan de berg, komen we uit op een strandje. Er ligt zand, gewoon, zoals thuis aan de Noordzee. Twee paarden slenteren langs de vloedlijn. Een zwarte en een witte.

'Kurt,' zegt Anne.

Ze legt een hand op mijn arm. Ik duw hem weg.

'Kom,' zeg ik. Mijn gestoorde nepzus en ik halen onze paarden op. Ze zijn nog heel, op een paar schrammetjes na.

Imme Dros
Prins Langereis en de vuurvogel

Er leefde eens heel lang geleden en heel ver hiervandaan een arme prins die niet bang was en ook niet dom, wat heel bijzonder is.

Het rijk van zijn vader werd in de loop van de tijd steeds kleiner en er bleef ten slotte zo weinig van over dat andere prinsen hem uitlachten. Ze noemden hem prins Langereis omdat hij er wel een heel uur over deed om bij de grens van zijn landje te komen.

'Hoeveel onderdanen hebben jullie eigenlijk?' riepen ze. 'Drie? Of vier?'

'Ik zal het voor je uitzoeken,' zei de prins en hij vroeg aan zijn vader waarom hun rijk zo klein was.

'Ach,' zuchtte de koning. 'Ik heb gewoon geen geluk gehad.'

'Geluk?' vroeg de prins. 'Wat is geluk?'

'Dat moet je niet aan mij vragen,' zei de koning. 'Als je het niet hebt dan weet je ook niet wat het is.'

'Dan ga ik het aan iemand anders vragen,' zei de prins. 'Want we hebben er denk ik wel wat van nodig.'

'Neem het paard!' raadde de koning hem aan. 'De wereld is groot.'

In de koninklijke stallen stond een oud paard in zijn eentje naar de ruif te staren.

De prins had voor zijn reis liever een vurig, jong paard gehad, maar hij aaide het oude paard en reed de grote wereld in.

Onderweg vroeg hij aan iedereen die hij tegenkwam wat geluk was en waar het te vinden was. Niemand kon hem een antwoord geven waar hij iets aan had. De zomer werd winter, de winter werd weer zomer en langzaam maar zeker naderde de prins het paleis van de keizer.

Terwijl hij door een van de keizerlijke landerijen reed ontdekte hij in de berm van de weg een donsveertje van puur goud. De prins wilde op de grond springen om het te pakken toen hij een eigenaardig geluid hoorde. Het oude paard hinnikte. 'Ho!' zei het paard. 'Pas op voor dat veertje. Dat veertje is van een vuurvogel. Dat veertje is gevaarlijk.'

'Ik ben niet zo gauw bang,' zei de prins en hij deed wat hij van plan was. Een oud paard kan wel van alles zeggen, dacht hij. Als ik dat gouden veertje naar de keizer breng krijg ik als beloning misschien wel een beetje geluk. Of een vurig jong paard.

Hij liet zich aandienen bij de keizer en bood het veertje aan.

'Wat heb ik aan een veer?' snauwde de keizer. 'Breng me de hele vogel anders gaat je kop eraf.'

De prins kwam met een bedrukt gezicht terug bij het oude paard. 'Waarom zucht je zo?' vroeg het paard.

'De keizer wil dat ik de hele vogel breng, anders gaat mijn kop eraf,' zei de prins.

'Dan moeten we naar het Noorden,' zei het paard. 'Dat wordt een barre tocht.' En een barre tocht werd het zeker, want in het noorden, dat weet je, is het verschrikkelijk koud. Er zijn akelig kale vlaktes waarover een ijzige stormwind waait, er zijn bevroren meren met gevaarlijke wakken, en er zijn ongure bossen vol hongerige roofdieren.

De prins reed zeven keer zeven dagen door weer en wind. De sneeuw gaf hem en zijn paard een witte mantel. De grond was keihard bevroren, er zaten scheuren en gaten onder de sneeuw, er waren spekgladde ijskorsten. Het paard had moeite staande te blijven. Met vier benen heb je twee keer zoveel kans om in een scheur of een gat te trappen of om ergens over uit te glijden. Maar ze bleven overeind en op de negenenveertigste dag rook de prins midden in een winters bos plotseling een zoete geur, en tussen de kale takken vol ijspegels zag hij een haag van bloeiende rozenstruiken. Hij dacht dat hij droomde. Rozen, bloeiende rozen!

'Daar, achter een dubbele rij rozenhagen, woont de vuurvogel,' zei het paard. 'Maar daar woont ook de boze tovenaar van het Noorden. Er dreigen grote gevaren. Weet wat je doet.'

'Zonder de vogel gaat mijn kop er toch al af,' zei de prins. 'We gaan hem zoeken.'

'Blijf dan tussen de twee rozenhagen,' zei het paard. 'Ze zijn zo hoog dat je erachter kunt schuilen.'

'Dat doe ik,' zei de prins. Hij leidde het paard aan de teugels de tuin binnen. De rozenhagen vormden een lange laan. Daar was het zomers warm. De sneeuwlaag op de prins en het paard smolt weg. En toen de laan een bocht maakte, zag de prins door een gat in de haag de vuurvogel. Hij danste sierlijk om een boom waarin gouden appels hingen. Zijn vleugels leken vonken te schieten, rode vonken, blauwe vonken, groene, gele, violette, zilveren, roze, gouden vonken. Een schitterend gezicht. De boom stond zo dicht bij de rozenhaag dat de prins met gemak de laagste appels had kunnen plukken. Maar voor gouden appels kwam de prins niet, hij stak zijn voet door de rozenhaag en zette die op de lange staartveren van de vuurvogel.

'Niet doen,' riep de vuurvogel met angstige stem. 'Laat los, laat me vrij.'

'Laat hem vrij,' zei het paard.

'Maar als ik hem niet vang slaat de keizer mijn kop eraf,' zei de prins.

'Een vuurvogel is machtiger dan een keizer,' zei het oude paard. 'Laat hem vrij.'

'Zul je me dan helpen het geluk te vinden?' vroeg de prins aan de vuurvogel.

'Dat beloof ik,' zei de vuurvogel. De prins trok zijn voet terug en de vuurvogel vloog zo snel hij kon de veilige boom in. Van hoog uit de top dwarrelde een lange, gouden veer naar beneden.

'Die is voor jou, prins Langereis. Strijk er drie keer langs als je me nodig hebt,' zei hij. 'Dan kom ik je helpen.'

De prins haalde zijn schouders op, want een vogel kan wel van alles zeggen, maar hij stopte de veer toch in zijn binnenzak.

'Wat doen we nu?' vroeg hij aan het paard.

'Hak daar verderop met je zwaard een kijkgat in de haag,' zei het paard. 'Dan zul je eens wat zien.'

Dat deed de prins en hij keek zijn ogen uit. Achter de rozenhaag lag een golvend grasveld met overal bloemperken en sierheesters en in een spiegelglad meer stond een zwart kasteel. Hij vertelde het paard wat hij allemaal zag.' Maar er is nergens een levend wezen,' zei hij. 'Geen dier, geen vogel, niet eens een insect. Er staan alleen allerlei kromme en scheve beelden bij de vijver. Lelijke beelden. Ik vraag me af wie zoiets nou mooi vindt.'

'Het zijn geen gewone beelden,' zei het paard. 'De tovenaar van het Noorden wil koning worden van de hele wereld en hij heeft een sluw plan bedacht. Hij ontvoert overal prinsessen, die houdt hij gevangen en hij eist als losprijs voor elke prinses een koninkrijk. Wie het waagt naar zijn kasteel te komen om een prinses te bevrijden versteent hij. Die beelden zijn betoverde prinsen.'

'En de prinsessen zelf?' vroeg de prins. 'Zijn die ook versteend?'

'Nee, waarom?' zei het paard. 'De prinsessen mogen vrij rondlopen, weg kunnen ze toch niet, voorbij de rozenhaag vriezen ze immers dood.'

'Maar waar zijn ze?' vroeg de prins.

'Bij de meidoorns zijn ze,' riep de vuurvogel. 'Bij de witte meidoorns zijn ze.'

De prins probeerde ze te vinden. Hij liep verder en verder de rozenlaan in. Af en toe maakte hij een sprongetje om over de rozenstruiken heen te kunnen zien. Het was zoals de vogel had gezegd, bij een bosje van witte meidoorns ontdekte hij de prinsessen die de tovenaar had ontvoerd. Ze waren allemaal heel mooi, maar eentje zag er ook heel lief uit. De prins vond haar het liefste meisje dat hij ooit had gezien, in het echt en in zijn dromen. Hij moest steeds weer een sprongetje maken om naar haar kijken, hij kon het niet laten.

De liefste prinses keek toevallig op en zag het hoofd van de prins als een stuiterbal boven de rozen uitkomen. Ze kwam dadelijk naar de rozenhaag toe.

'Ga weg,' fluisterde ze. 'Wie je ook bent, ga weg! De tovenaar zal je verstenen.'

'Ik ga niet weg zonder jou!' zei de prins. 'Pak mijn hand.'

Hij stak zijn hand zo ver mogelijk de struiken in.

De prinses kwam zijn hand met haar hand tegemoet.

Dat deden ze heel voorzichtig, want er zaten doorns aan de takken. Veel meer doorns dan rozen. Lelijke, gemeen stekende doorns. Hun vingertoppen raakten elkaar aan.

De prins streelde de vingertoppen van de prinses. Heel zacht. En de prinses streelde de vingertoppen van de prins. Heel, heel, heel zacht. De tijd stond stil.

Het oude paard hinnikte en de prinses schrok.

'Je moet gaan,' zei ze. 'Gauw, voor het te laat is.' Ze wilde haar hand terugtrekken.

'Blijf nog even!' bedelde de prins. 'Toe nou! Toe!'

'Nog even dan,' zei de prinses.

Ze bleven staan. En ze deden hun ogen dicht. Zo streelden ze elkaars vingertoppen. Heel zacht, heel stil, heel voorzichtig. Tussen de doorns.

In het zwarte kasteel werd een zware gong geluid.

'Ik moet naar binnen,' fluisterde de prinses. 'Het moet.'

De prins kon niet verdragen dat ze van hem wegging. Hij drong door de rozenstruik en rende met een lijf vol doorns achter de liefste prinses aan, over het grasveld, voorbij de meidoorns, voorbij de vijver en voorbij de beelden naar de trappen.

Toen hij bij de eerste tree was gekomen zwaaide de zwarte poort van het kasteel open en op de zwarte trap stond de tovenaar van het Noorden..

'Wat hebben we daar?' grijnsde de tovenaar. 'Een nieuw beeld voor mijn tuin!' Hij richtte zijn zwarte toverstaf op de prins. Die streek zo vlug als hij kon drie keer over de veer van de vuurvogel, want je wist maar nooit. Er klonk een zoevend geluid en als een brandende pijl kwam de vuurvogel over de vijver aanflitsen. Zijn veren schoten vonken, zijn staart wuifde geducht.

De tovenaar verstijfde, hij vergat de prins en richtte zijn staf op de vogel. Maar die vonkte en schitterde en flikkerde zo fel dat de tovenaar verblind werd. De staf zwiepte stuurloos heen en weer, heen en weer, links, rechts, hoger, lager, naar opzij, naar achteren, naar voren.

De vuurvogel danste in cirkels om de tovenaar en hij zette zo'n keel op dat de zwarte ramen van het zwarte kasteel rinkelden.

'Dansen, tovenaarsvoeten!' snerpte de vogel. 'Dansen, zwarte, zware voeten! Dansen! Dansen! Dansen!'

De toverstaf viel kletterend op de grond. Of hij wou of niet, de tovenaar moest meedansen met zijn eigen voeten, die in het wilde weg sprongen en stampten en draaiden. Hij tolde in het rond en danste, en danste en danste en danste en danste... tot hij erbij neerviel.

De prins trok zijn zwaard om de booswicht te doden. 'Ho,' riep het paard, dat over het grasveld aan kwam draven. 'Maak je niet moe. De tovenaar van het Noorden kan niet met een zwaard gedood worden, hij heeft zijn leven veilig opgeborgen in een ei, en dat ei ligt in een loden kistje in een kale rots midden in een diep meer. Niemand weet waar.'

'Maar ik wel,' zei de vuurvogel. 'En ik heb een kompas dat de weg ernaartoe kan wijzen, het ligt voor je klaar onder de appelboom. Goede reis. Maak je geen zorgen over de tovenaar, die laat ik dansen zolang het nodig is.'

De prins vond bij de boom een appel met een rood wangetje. Dat nam hij mee op de koude terugreis. Door een torenraam keek de liefste prinses hem na.

De tweede reis was nog zwaarder dan de eerste. De prins voelde zich steeds zwakker worden van alle ontberingen. Hij begon te rillen. Hij begon te klappertanden. En elke keer als hij rilde dacht hij: een vuurvogel kan zich vergissen! En elke keer als hij klappertandde dacht hij: een appel is om op te eten! Maar het paard hield hem op het juiste spoor. Het paard geloofde heilig in de vuurvogel. Dus ze reisden in de richting die het rode wangetje van de appel aanwees door open velden en door dichte bossen.

Er leek geen eind aan te komen maar omdat aan alles nu eenmaal een eind komt, bereikte de prins ten slotte toch het meer met de kale rots. Door de vlijmende kou was het meer bedekt met een dikke laag ijs en het paard kon gemakkelijk bij de rots komen, een geluk bij een ongeluk. De prins vond in een nis het loden kistje met het zwarte ei. Hij wilde het ei al tegen de rots smijten, maar het paard steigerde.

'Ho!' riep het paard. 'Eerst terug naar de vaste wal. Wou je soms verdrinken?'

'Verdrinken op het ijs?' vroeg de prins. Maar hij deed wat het oude paard zei, want je weet maar nooit. Pas toen ze veilig op de oever stonden mocht de prins het ei kapot gooien. En zodra het brak, smolt het ijs op het meer in minder tijd dan een oog kan knipperen, en ver weg in de tuin met de rozenhagen smolt op datzelfde moment ook de boze tovenaar van het Noorden. De stenen beelden bij de vijver begonnen te kraken, de betoverde prinsen kropen naar buiten als kuikens uit hun dop, en de prinsessen konden naar huis. Om prins Langereis te redden vertrok de vuurvogel vrijwillig naar het rijk van de keizer en liet zich daar aan iedereen zien. Nu hier, dan daar. Hij bleef nooit langer dan een paar uur op dezelfde plek en vloog kriskras door het hele enorme land. In het begin probeerde de keizer hem nog te vangen maar hij kreeg het heen en weer van het grillige beest en stelde zich tevreden met de gedachte dat de vuurvogel zich ergens in zijn land bevond en dus van hem was. Hij zou er nooit achterkomen dat de vuurvogel na een paar weken weer gewoon terug was gegaan naar de boom met de gouden appels.

Daar keek de liefste prinses nog steeds uit naar de prins op het oude paard. Die kwam zo snel de benen van zijn paard hem konden dragen. Ze namen afscheid van de vuurvogel en reden dicht tegen elkaar aan naar het kleine koninkrijk en de warme stal. Met gejuich en haver werden ze ontvangen. Wat een feest was dat. Alle vlaggen hingen uit, wel tien.

De vader van de prins deed afstand van de troon.

De prins werd koning.

De liefste prinses werd koningin.

Het oude paard werd ouder.

En ze konden hun geluk niet op.

Do van Ranst
Asfalt en draadjes

Of het waargebeurde verhaal van Flor, naverteld
door Marcel (zijn grote broer)

Dit is geen verschrikkelijk eng verhaal, of zo spannend dat je straks niet durft verder te lezen. Het was wel erg op het moment dat het echt gebeurde. Maar het was weer niet zo erg dat je er straks, wanneer ik het helemaal heb verteld, nachten van wakker zal liggen of zo. Je zal er misschien nog een keer aan denken. Als je op je fiets springt of op vakantie vertrekt. Of als je kin jeukt.

Dit moet je nog weten: papa was er ook bij toen het allemaal gebeurde. En Sarah. Zij is de vriendin van papa, want onze ouders zijn gescheiden. Mama en papa vinden elkaar wel leuk, maar niet zo leuk dat je de hele tijd aan elkaar wilt zitten, zoals je op tv altijd ziet.

Sarah is normaal heel bezorgd, maar toen het niet-zo-verschrikkelijke-maar-toch-best-erge gebeurde, bleef ze rustig. Papa werd haast gek. Gekker heb ik hem nog nooit gezien. O ja, en ik was er natuurlijk ook bij. Ik ben Marcel en ik ben elf. Toen het gebeurde was Flor bijna acht. Een peuter, zeg maar.

We gingen op vakantie naar Frankrijk. En niet gewoon naar Frankrijk, maar naar het zuiden. En we gingen niet met het vliegtuig of gewoon met de auto, maar met een camper. We hadden er zin in. De camper was volgeladen met eten en drinken, en gezelschapsspelletjes, kleren, ondergoed en badkamerspullen.

Om de lange rit een beetje te breken stopten we eerst in het noorden van Frankrijk, vlak aan zee. Normandië heette het daar. In de Eerste en Tweede Wereldoorlog werd daar hard gevochten. Soldaten kwamen van overal. Uit vliegtuigen, boten, het water, ze kwamen zelfs uit het zand gekropen. Het was er een slagveld, maar even later was de oorlog wel voorbij.

Het weer was somber in Normandië. We liepen door smalle winkelstraatjes en klommen een berg op vanwaar we de zee konden zien. Er stak een rots uit die leek op een olifant. We aten pannenkoeken, want die zijn daar volgens mijn pa uitgevonden.

Toen reden we door naar het Zuiden. Na tweehonderd keer Scrabble en driehonderd keer Monopoly en veertien keer stoppen omdat er altijd wel iemand naar de wc moest, kwamen we eindelijk aan in Saint Rome du Tarn. Daar zouden we enkele dagen blijven. Dat was van tevoren zo geregeld via internet.

We hadden negenhonderd kilometer en dus ook elf uur opgesloten gezeten in die camper. Volgens papa was dat zalig. Hij zei: 'Je kan op de bedden spelen. Je kan van het landschap genieten. Je kan tekenen, en dat terwijl we rijden! Je kan naar een film kijken.' (Er was inderdaad een televisie met dvd-speler).

Maar Flor en ik duwden uit verveling bijna elkaars ogen uit. De camper werd gloeiend heet. We zweetten als otters. We hadden dorst! Nog even en we zouden elkaars plas opdrinken!

Papa koos een plekje op een camping die tegen een bergflank lag. Hij was een piepkleine auto gewend, dus het duurde lang voor we geparkeerd stonden op een smalle strook gras tussen twee laurierhagen. Achter elke haag stond een andere camper, caravan of tent. Papa wilde meteen bij aankomst de vaat doen in het sanitairgebouw van de camping. Want met het water in een camper moet je erg zuinig omspringen. Hij wilde ook douchen en een keer lang naar de wc en minstens twintig keer doortrekken.

'Wij willen fietsen!' schreeuwde Flor. De hele rit hadden we door het achterruitje verlangend naar onze fietsen op de bagagedrager liggen turen. Nu we eindelijk ergens langer dan een plaspauze bleven staan wilden we maar één ding: de bikes van die drager halen en scheuren!

'Als de vaat klaar is, meteen,' zei papa.

'Fietsen!' riepen we.

'Als we terug...' probeerde Sarah. Maar wij dreigden van de berg af te springen. We hingen alvast een been de diepte in. 'Fietsen!' gromden we.

Papa haalde de fietsen van de camper. Ik heb een soort mountainbike. De fiets van Flor is een BMX. Een maat te groot, zei mama toen pap hem had gekocht. Ze vond het eng dat Flor op het frame moet gaan zitten, wilde hij met beide voeten de trappers raken.

'Wees voorzichtig,' zei papa met de vaat in zijn handen.

'Niet racen,' zei Sarah met een grote badhanddoek in haar nek.

'Nee,' zeiden wij. 'Nee.'

Papa en Sarah gingen de vaat doen en daarna gingen ze douchen. Ze werden haast gek van zoveel water.

Ik stoof natuurlijk als eerste weg. Flor hield zich vast aan de camper, ging op de buis van zijn BMX zitten en duwde zich af. Bergop was lastig. Maar dat vergaten we zodra we bergafwaarts gingen, zo snel dat je het asfalt rook dat smolt onder onze wielen. Maar dat kon ook aan de hitte in Zuid-Frankrijk liggen, natuurlijk.

Ik wees naar een punt in de verte. 'Frieten!' riep ik. Dat roep ik altijd als er iets spannends gaat gebeuren. Flor zag natuurlijk meteen wat ik bedoelde. De weg ging wat verderop wel erg stijl naar beneden. En we gingen nu al als speren. Flor glimlachte breed. Het asfalt dampte!

Sarah en papa hadden net de vaat in een sopje gezet toen ze mij loeihard 'Papa!' hoorden roepen. Papa dacht nog: dat kereltje klinkt in paniek. Gelukkig is het niet een van mijn twee zonen, want die zijn rustig aan het fietsen.

'Het is Marcel,' zei Sarah. Ze had ineens geen kleur meer. Papa liet de borden los, droogde zijn handen aan zijn T-shirt en holde naar buiten. Daar stond ik. Mijn borst pompte, mijn wangen waren nat. Ik had mijn handen in mijn bezwete haar.

'Flor is gevallen!' riep ik.

Papa en Sarah renden met mij naar de caravan van de buren, want daar zat Flor. Papa begreep er eerst niks van. Was Flor in volle vaart door hun haag gereden? Had hij zijn fiets in hun voortent geparkeerd? Papa hoopte gewoon vurig dat het niet ernstig was. Maar hij had mij nog nooit zo in paniek gezien. Het kon niet anders dan erg zijn.

Flor hing in een tuinstoel van de buren. De buurvrouw depte zijn kin met een gaasje. Er was zo veel bloed dat we amper dichterbij durfden te komen. Maar toen we het toch deden, zagen we dat de kin van Flor eruitzag als een ladekastje, maar dan eentje op een schuine helling, waardoor er telkens een lade open gleed. In die lade lagen allemaal rode spulletjes.

'Dat moet genaaid,' zei papa in het Frans. 'Hij moet naar het ziekenhuis.' De buurvrouw knikte. Haar man knikte. Papa keek naast zich, naar de gigantische camper achter de haag die hij pas na een kwartier wringen aan het zware stuur op ons plekje geparkeerd had gekregen.

De Franse buurman heette Jacques. Ik zag hoe hij de blik van papa volgde en wist wat hij dacht: tegen de tijd dat die tank op weg is naar het ziekenhuis, heeft dat jongetje in mijn tuinstoel geen milliliter bloed meer over. 'Het ziekenhuis is in Saint Afrique,' zei Jacques. 'Twaalf kilometer hiervandaan.' Hij zei dat we in zijn auto moesten gaan zitten. Hij zou wel rijden.

In de auto van Jacques nam papa Flor op schoot. Hij vroeg wel tien keer of het ging. Het ging. Flor voelde geen pijn aan zijn kin. Hij zei dat het voelde alsof er heel de tijd een beestje in heen-en-weer liep.

De auto was warm en rook naar hond. Ik keek de hele

99

tijd naar die kin die openhing. Ik huilde nog steeds. Heel stilletjes. Flor vroeg heel de tijd hoe ver het nog was naar de dokter. Hij zei dat hij het koud had en hij rilde. Dat was zo gek. Het was vijfendertig graden in Zuid-Frankrijk!

De rit duurde eindeloos. Hoe langer we reden, hoe meer Flor zijn kin voelde. Het beestje stak blijkbaar zijn nagels uit bij het lopen.

'We zijn er,' zei papa toen. Daar was Flor blij om. Maar dat duurde niet lang. Een ogenblik later trok een verpleegster nogal hardhandig zijn short en sandalen uit en zette hem onder een douche. Niet dat hij zo smerig was, maar het asfalt van de camping zat in zijn huid en dat moest eruit. Het zat in zijn knieën, zijn handen, zijn ellebogen, zijn borstkas. Het zat overal.

Papa was boos op zichzelf en vervolgens op Sarah en Sarah was boos op zichzelf en daarna op papa en toen... Het was bijna niet te volgen wie op wie boos was. Waarom was wel duidelijk: ze hadden Flor zonder T-shirt laten fietsen. Dat was stom. 'Als hij er wel een gedragen zou hebben...' zeiden ze steeds. Ik vond het een stom gesprek.

Toen werd het pas echt verschrikkelijk. Een verpleegster zeepte Flor in met een speciale zeep die stonk en wroette in de wonden op zijn benen en borst. Ze schrobde het asfalt uit zijn huid, met een sponsje dat van metaal leek.

Papa kreeg een flesje met vloeistof van een andere verpleegster. Dat spoot hij leeg op Flors lichaam. 'Dat verdooft,' zei hij wel honderd keer. Flor begreep niet wat hij bedoelde. Toen werd hij voorzichtig droog gedept en moest hij naar een joekel van een dokter. Hij was twee keer groter dan papa. Zes keer groter dan Flor. Flor schreeuwde het hele ziekenhuis bij elkaar. Hij kon nog harder toen hij een groene, plastic doek voor zijn gezicht kreeg. Ter hoogte van de gapende kin zat een gat. Ik begreep wat ze gingen doen. Die kin moest genaaid. Papa was de enige die bij hem mocht blijven. Daar had Flor niet veel aan. Papa huilde de hele tijd en hij bibberde ook. Soms suste hij Flor, dat alles goed ging komen. Maar mijn broertje zei later dat het niet klonk alsof hij dat zelf geloofde.

Weer voelde Flor een vloeistof, precies in dat gat waar zijn kin zat. Maar hij voelde ook papa zijn handen rond zijn hoofd. Het leek alsof hij in een keer zijn hele hoofd wilde omklemmen, en hij voelde zijn kusjes op zijn haar. Papa zei van alles. Dat hij het zo verschrikkelijk vond en dat Flor het zo warm had en zweette en dat hij een dappere jongen was en dat hij ongelooflijk veel van hem hield. Toen klonk papa wel alsof hij het zelf geloofde.

Een uur later zaten we weer in de auto van Jacques. Flor trilde en had een laken over zich heen. Dat had hij gekregen in het ziekenhuis. Of dat hadden we gewoon in alle drukte maar meegenomen. Volgens papa zat de vakantie er nu al op. 'We rijden terug!' zei hij.

Sarah zei voor in de auto dat we heus niet onmiddellijk terug naar huis hoefden. Ik twijfelde toch. Ik had papa horen zeggen dat Flor van de dokter vier weken niet in het water mocht. En tot volgende zomer mocht hij ook zeker niet in de zon. De komende twee weken moest

Flor elke dag vier keer drie centimeter zalf op zijn huid smeren.

Maar papa had gezegd dat Flor een dappere jongen was. Dus gedroeg hij zich ook zo. De volgende dagen kreeg Flor vier maal daags de plakkerige brei over zijn lichaam uitgesmeerd. Hij bleef netjes in de schaduw. Dat was moeilijk, want in Zuid-Frankrijk schenen tien zonnen tegelijk. We gingen met zijn vieren kajakken. Flor droeg een veiligheidsjasje, een lange broek, een pet, een T-shirt met lange mouwen en zakjes rond zijn handen. Hij zag er vooral heel erg abnormaal uit.

Enkele dagen later vertrokken we naar een dorp dat dieper in Frankrijk lag. Papa en Sarah en daarna ook mijn broer en ik bedankten Jacques en zijn vrouw met een fles rode wijn en een kruikje van een pottenbakker uit Saint Rome du Tarn. Tegen de tijd dat we verder reden voelde Flor zich al een stuk beter. Echt waar, de asfaltvlekken op zijn lichaam verdwenen terwijl je ernaar keek.

In dat andere dorp bezochten we het vakantiehuis van Lucrèce en Johan. Dat waren vrienden van Sarah. Wat een ramp: ze hadden een zwembad in de tuin en nergens was er een spatje schaduw. Nadat alle aanwezigen de kin van Flor van dichtbij hadden bekeken en Johan er zelfs een reeks foto's van had genomen, sprong ik in het zwembad. Flor stond ernaar te kijken. Zijn hele lichaam jeukte! Hij wilde *onmiddellijk* in dat water. Hij schreeuwde het uit zonder dat hij er zijn mond voor hoefde opendoen.

Lucrèce had een idee. Ze haalde een fles talkpoeder en schudde die uit over zijn hele lijf. Flor veranderde in een witte wolk. Maar het talkpoeder zorgde ervoor dat de wonden in het water en de zon mochten. Niet te lang, maar het mocht.

De rest van de vakantie verliep zo goed als normaal. De laatste dag, toen we in het diepste puntje van Frankrijk waren met de camper, moest Flor weer naar het ziekenhuis. Maar deze keer was het om de draadjes uit zijn kin te laten halen. Met een vlijmscherp mesje sneed de dokter de draadjes door. Het ladekastje bleef dicht. De rode spulletjes bleven achter slot en grendel. We gingen chique uit eten om dat te vieren, en ook omdat Flor zo dapper was geweest.

Ik zei het al, het verhaal van Flor is niet gruwelijk of ongelooflijk spannend. Waarom ik het dan vertel? Omdat het echt gebeurd is, misschien? Omdat Flor mijn broer is?

Omdat Flor mijn broer is. Soms denkt hij nog aan die vakantie. Wij allemaal eigenlijk. Overal in huis liggen foto's die hem aan die zomer herinneren. Soms wil hij het ook vergeten. Hij zegt dat voor die zomer fietsen anders was. Ook voor mij. Nu kijk ik heel de tijd achterom en zeg ik dat hij voorzichtig moet zijn. Echt vergeten lukt natuurlijk nooit. Zelfs niet als Flor die foto's verscheurt en weggooit.

Als je heel goed naar zijn kin kijkt zie je nog steeds waar die het asfalt heeft geraakt. En als het weer verandert, jeukt die plek een beetje. Een litteken, heet zoiets, zegt mama. Natuurlijk is hij te vroeg in het water gegaan en liep hij al veel te snel met zijn hoofd in de zon. Maar hé, het werd toch nog een fijne vakantie. En met dat litteken ziet Flor er erg dapper uit.

Guus Kuijer
Hoe het was

Soms verbeeld ik me dat ik zelf een eend ben geweest, lang geleden, in een vorig leven. Ik weet nog goed hoe het voelde.

Het water voelde glad en rook lekker: naar koffie zou ik nu zeggen en naar gepeperde tomaten. Je gleed over het water, je zonk er niet in weg. Het was een spiegelgladde glijbaan. Zwemmen kostte geen enkele moeite. Je merkte niet eens dat je zwom.

Het water was veilig. Als je ergens van schrok, vluchtte je altijd naar het water.

Ik was gek op water, maar ik hield ook van de wind.

Als er een flinke bries stond, spreidde je je vleugels en dan voelde je de wind rukken aan je spieren. Je wist dat je met één, twee vleugelslagen in de lucht kon zijn. Dat gevoel was vaak al genoeg. Je klapte je vleugels tevreden weer in. Best vliegweertje, dacht je. Straks gaan we een tochtje maken.

Straks.

Je had nooit haast.

Alles kon wachten. De wind liep niet weg.

Je deed eerst een dutje. Af en toe keek je met één oog of de andere eenden er nog waren. Je kop zat tussen je veren, de lucht die je ademde was warm van je eigen lijf. Als de grond koud was, trok je ook je poten tussen je veren. Lekker warm. Je lijf was een comfortabele woning. Als je wakker werd, dacht je: Nu gaan we vliegen. (Je dacht nooit IK, dat woord kende je niet.) Waarom vliegen? Zomaar. Voor de lol. Omdat je vliegen kon, wilde je vliegen. Elke dag. Ook zonder reden of nut.

De andere eenden hadden er op precies hetzelfde moment zin in. Ze wapperden net als jij met hun vleugels en je wist niet wie ermee was begonnen. Je stak je snavel tegen de wind in, je strekte je hals en ging hoog op je tenen staan.

Dan steeg er iemand op en je ging hem na.

Voor je het wist, was je met z'n tienen, twintigen of dertigen hoog in de lucht. De wind rukte je omhoog. Er was geen houden aan. Je beklom de lucht als een ladder. Als je bovenaan was, draaide je je van de wind af. Je liet je voortblazen, zoevend door de lucht, je hoorde je vleugels zwiepen. De anderen vlogen naast je, boven je, onder je. Ze gingen even snel als jij. Niemand hoefde zich in te houden. Je liet je gaan.

Niemand wist waar de tocht heen ging en toch bleven we goed bij elkaar. We maakten bochten naar links en naar rechts. We tornden op tegen de wind of zeilden met de wind mee, maar niemand van ons gaf de richting aan.

We wisten de richting. We wisten wanneer we zouden zwenken, dalen of stijgen en we wisten het tegelijkertijd.

Van zwemmen wordt een eend niet moe, maar van vliegen wel. Ik weet nog goed hoe heerlijk het was om je moeie vleugels stil te mogen houden als je daalde tegen de wind in. Hoe je die gladde waterbaan onder je zag, waarvan je wist dat die je zacht zou opvangen en je moeie lijf zou dragen.

Na de landing dobberde je stil op het water, peddelde kalmpjes met je voeten en viel, al dobberend, in slaap.

Dát was nog eens slapen vroeger, als eend, dobberend op het water.

Dirk Weber

Amandines Grand Tour

Dat Amandine Leonore Tatwistle voor haar verjaardag een Grand Tour Caravan kreeg was in haar kringen niet ongebruikelijk. Wel ongebruikelijk was het, dat ze hem voor haar elfde en niet voor haar achttiende verjaardag kreeg. En dat kwam omdat Amandine altijd haar zin kreeg. Ze was vasthoudend als een buldog en koppig als een muilezel en ze werd, als enig kind van de Tatwistles, verschrikkelijk verwend.

Vier maanden voor haar verjaardag had Amandine bedacht dat ze een wereldreis wilde maken en toen haar ouders niet meteen ja zeiden, weigerde ze nog een hap te eten. Na een hongerstaking van vier-en-een-halve dag begonnen de onderhandelingen. De uitkomst: een reis van vijfentwintig dagen langs eenendertig bezienswaardigheden, begeleid door Christopher, de pianoleraar van Amandine. Amandine protesteerde nog over Christopher, maar dat was maar toneel. Ze was al zeven maanden in stilte verliefd op Christopher en stiekem had ze een eerste kus van hem als reisdoel nummer tweeëndertig op haar lijst gezet.

Bij Crutchley werd een op maat gemaakte caravan besteld. Hij was klein, maar gezellig en comfortabel en dat moest ook wel, want Amandine moest er vijfentwintig dagen in doorbrengen. Door de kijksleuven viel voldoende licht om overdag te kunnen lezen. Het bed was tegelijk een bankje, en als je het blad van het schrijftafeltje opklapte, verschenen de toetsen van een kleine reispiano. Langs de wanden en onder het bed zaten kastjes voor kleding, boeken en schrijfspullen en achterin waren de luikjes voor de po (met schroefdeksel), voor de waskom en het eten. Op het deksel was plaats voor de bagage van Christopher.

Drie weken voor vertrek werd de caravan afgeleverd, dat gaf Christopher tijd om te oefenen als trekmens. De

caravan reed licht genoeg, maar met Amandine en haar bagage erin woog hij ruim vijfenveertig kilo. Na een week kon Christopher ermee rennen. Amandine paste de speciaal gemaakte reishemden en sliep drie nachten op proef in de caravan. De eerste nacht met het deksel open, de volgende met het deksel dicht. Ze had geen moeite met de kleine ruimte en ze vond het niet erg dat het deksel straks op slot zou zijn en de enige sleutel thuis zou blijven. Het was zo fijn een kamer te hebben waar het kamermeisje Nanette of Maman niet binnen konden komen. Toch liet ze in het geheim bij Crutchley een reservesleutel maken die ze verborg onder haar matras. Amandine gaf niet graag alle vrijheid uit handen.

Vier dagen na de laatste schooldag stapte Amandine in de caravan. Het deksel werd gesloten en Maman kreeg de sleutel. Ze hing hem aan een ketting om haar nek en weende zacht. Daarna gingen ze naar de haven, Christopher voorop met Amandine in de caravan, de ouders van Amandine erachteraan met het koetsje. De caravan werd aan boord getild en op het dek vastgezet en het schip vertrok. Er werd nog gezwaaid, maar of Amandine het zag, en of ze zelf zwaaide, was vanaf de kade niet te zien. De volgende morgen werd Amandine wakker met het geluid van meeuwen. Een uur later liep de boot binnen in de haven van Belbourg. De caravan werd van boord getakeld, de reis was begonnen.

Op de kronkelige weggetjes op het vasteland liep Christopher al snel te zuchten. Hoewel Amandine het geen plezierig geluid vond, hield ze zich in. Ook over de zweetgeur die Christopher begon te verspreiden, zei ze niets. Ze stak katoenen proppen in haar oren en deed een middagslaapje terwijl Christopher de laatste elf kilometer naar Blautraub liep.

De eerste bezienswaardigheid op de lijst was het geboortehuis van Wilhelm Schleckerhaus, de uitvinder van de boterbabbelaar. Het was niet wat Amandine zich ervan voorgesteld had. Een armoedig huisje waar de caravan alleen naar binnen kon nadat alle meubels uit de woonkamer naar buiten waren getild. De keuken kon ze alleen vanuit de gang bekijken en van de vette roomboterlucht moest ze bijna overgeven. Een blik in de pan waarin de eerste babbelaar was gemaakt en Amandine besloot nooit meer zo'n snoepje aan te raken. Ze streepte nummer een van de lijst en gaf Christopher opdracht naar het hotel te gaan.

In het hotel trok de caravan veel bekijks. Dat Christopher tijdens het diner de borden en glazen door het etensluikje naar binnen stak, vonden mensen erg grappig. In het begin vond Amandine de aandacht nog leuk, maar toen hotelgasten haar wilden gaan voeren en brood door de kijksleuven naar binnen gooiden, sloot ze de luikjes en eiste dat Christopher haar naar de kamer zou brengen.

Amandine en Christopher sliepen op een kamer, hij had beloofd haar geen moment uit het oog te verliezen. En Amandine hield hem in het oog, helemaal vrijwillig. Jammer genoeg deed Christopher voor hij zich om ging kleden eerst het licht uit. Amandine sliep slecht en droomde van Christopher, vlakbij en toch ver weg, en werd de volgende dag pas laat wakker.

Christopher haastte zich om op tijd in Rumpt te zijn, het stadje met de kathedraal met de glazen klok die zo mooi bezongen was in het lied van Jean Petit de Oude. De weg ernaartoe liep door een uitgestrekt muggenbos. Amandine schoof het biechtstoelgaas voor de kijksleuven, Christopher werd vierendertig keer gestoken en hield maar geen pauze. Om twaalf voor twaalf parkeerde hij de caravan op het kerkplein van Rumpt en terwijl hij zalf tegen muggenbetenjeuk ging halen, keek Amandine naar de mensen op het plein. Grappig, dacht ze, dat gewone mensen overal zo op elkaar lijken. Ze had al iemand gezien die er uitzag als Nanette en aan de rand van het plein stond een man die leek op Theodore, de assistent van vader.

Drie voor twaalf kwam Christopher terug. Hij stak een ansichtkaart door de kijksleuf. Een handingekleurde foto van een klein oud mannetje en een klokkentouw. Het was het eerste cadeautje dat Amandine van Christopher kreeg. Op het plein telden de toeristen af: drie, twee, een... Twaalf keer sloeg de wereldberoemde glazen klok, de mensen op het plein klapten, maar voor Amandine klonk de klok als een goedkoop wijnglas. Ze haalde diep adem en streepte nummer twee van het lijstje. Op dat moment viel er een kaart door een sleuf in de caravan. En nog een. Ze waren niet van Christopher. In een paar minuten tijd werden er zeven kaarten naar binnen gegooid. Een kist met sleuven op een plein, wat kon het anders zijn dan een brievenbus? Gelukkig pakte Christopher de dissel om naar het park te gaan waar Amandine brieven voor thuis zou schrijven. Amandine bewaarde de mooiste kaarten en gooide de rest in snippers naar buiten. In het park zette Christopher de caravan half in de zon met een mooi uitzicht op de vijver, zelf ging hij wat verderop zitten lezen. Het irriteerde Amandine dat ze hem niet kon zien en nog meer dat ze hem buiten beeld hoorde praten met een vrouw. Amandine floot Christopher en liet hem de caravan verplaatsen, maar de vrouw was intussen verdwenen.

De reis ging verder. Ze bezochten het klooster waar zuster Sieglinde 54 jaar in een wijnvat had gewoond en kochten de traditionele kurk als souvenir. Ze liepen langs het kanaal dat Keizer Hubert 11 had laten graven voor de olifanten voor zijn dierentuin, ze beklommen de Schillenberg en deden een wens bij het beeld van Joachim de Schele. De meeste dingen waren best leuk, het was fijn ze van de lijst te strepen, al was het maar om later over te kunnen vertellen aan de vriendinnen thuis. Het reizen was niet heel zwaar en Amandine kon ermee leven dat ze niet uit de caravan kon. Alleen het avondeten viel wat tegen, eigenlijk smaakte het net als thuis. De koks hier waren blijkbaar even gek op mierikswortel en selderij als François, de kok van haar ouders. Als er iets was dat haar dwars zat, was het dat het tweeëndertigste doel maar niet dichterbij kwam. Christopher was aardig en geduldig, maar hij leek maar niet te zien met hoeveel liefde ze naar hem keek. Ze snapte het niet.

De avond was normaal verlopen, na het eten (weer een *pie* met mierikswortel en selderij) had Christopher de caravan de trap op gesleept. Hij had Amandine de waskom gegeven en had zichzelf klaargemaakt om te gaan slapen. Amandine las nog wat bij het licht van haar olielampje, zei Christopher goedenacht en ging slapen. Tot ze wakker werd van gefluister. Door de kijksleuven kon ze niets zien. Ze dacht even na, pakte een zakspiegeltje en stak dat door een sleuf naar buiten. Via de spiegel kon ze achter de caravan kijken. Vanaf de gang viel licht naar binnen en in de deuropening stonden twee mensen. De ene was Christopher, de andere een vrouw. Een andere vrouw! Amandine liet het spiegeltje bijna vallen, kon nog net op tijd haar hand terugtrekken. Ze haalde diep adem en probeerde na te denken. Dat Christopher haar al bedroog voor hij haar de eerste kus had gegeven! Voorzichtig stak ze het spiegeltje weer naar buiten. Naast Christopher stond inderdaad een vrouw, maar er was nog iemand, een man. Opgelucht wilde Amandine adem halen maar op dat moment stapte de vrouw achteruit. Licht viel op haar gezicht. Nanette! Wat deed die hier? En nu zag ze ook wie de andere man was: Theodore! En er was nóg iemand. Klein en dik: François de kok. Alles viel op zijn plaats en ijskoude woede vulde Amandine. Haar vader had ze allemaal meegestuurd, alsof ze een klein kind was! Ze schoof het luikje dicht en bedacht een plan.

De volgende dag bleef ze op bed. Ze deed de luikjes voor de kijksleuven niet meer open. Niet voor het rattenpaleis in Hinkle, zelfs niet voor de finale van de kippenren in Stunz. Tien, twintig keer vroeg Christopher hoe het met haar ging, of ze iets wilde hebben of wilde pianospelen. Nu had ze zijn aandacht maar ze hield zich stil, nam het eten aan en gaf de po ervoor terug. 's Avonds smeekte hij haar te zeggen wat er was. Ze zei niets.

Op de ochtend van de tweede stiltedag was het zover. Op het moment dat Christopher naar beneden ging om te ontbijten haalde Amandine de sleutel onder het matras vandaan, stak haar hand door een sleuf naar buiten en opende het slot. Met stramme benen ging ze staan. Uit de boekenkasten op de overloop haalde ze dertig kilo boeken om haar plaats in te nemen en in haar kussensloop stopte ze het eten dat ze gespaard had. Daarna deed ze de caravan op slot en verborg zich onder het bed. Ze zag hoe Christopher de kamer in kwam, tegen de caravan vol boeken praatte en zich klaar maakte om te gaan. Ze wachtte tot hij beneden was en ze hem afscheid hoorde nemen en sloop toen de trap af. Toen ze zelf bij de deur was, werd ze nageroepen door iemand van het hotel. Ze verstond het niet, maar het klonk onaardig. Snel ging ze naar buiten. Verderop verdween Christopher om de hoek van de straat. Amandine probeerde te rennen, maar op de sloffen die ze droeg was dat niet gemakkelijk. Een hond rende achter haar aan en hapte naar haar flapperende reishemd.

Daar was Christopher. Maar niet alleen Christopher. Theodore liep als een verkeersagent voor de caravan uit en stuurde iedereen weg die hem stoorde, kinderen, zwervers, de schillenboer. Amandine volgde ze de stad uit, maar kon ze niet bijhouden. Al snel waren de sloffen kapot en had ze blaren. Gelukkig wist ze waar ze heen gingen.

Het was fijn buiten te zijn, het was echter. Ze haalde

een stuk brood uit de kussensloop en at het in het gras, plukte een onrijpe appel en werd gebeten door een spin. Ze schuilde voor de regen in een kapelletje maar werd er weggestuurd door een vrouw met een bezem. Aan het einde van de middag kwam ze in Bumplitz aan. Ze keek door de ramen van het Drakenmuseum, ze had er niet veel aan gemist. Er stonden twee draken waarvan er een uitzag als een hond met schubben, de andere als een vis met poten. Een suppoost ging voor het raam staan zodat ze niet meer naar binnen kon kijken. Amandine stak haar tong uit en ging op zoek naar het hotel. Door het keukenraam zag ze François. Nanette zat aan een tafeltje en at soep. Amandine hoopte dat ze haar lippen zou branden. In de stal vond ze een plek waar ze kon slapen. Ze at de laatste restjes uit de kussensloop en dronk water uit de pomp.

's Nachts ritselden de muizen door het stro en ook de paarden konden niet stil zijn. Ze sliep laat in en werd pas wakker toen de rest al lang weg was.

Daar liep ze, in de regen, in een reishemd. Ze was woest. Door haar vader liep ze nu op bijna blote voeten in natte kleren. Ze kneep haar handen tot vuisten en strompelde verder. Ze kon heel goed voor zichzelf zorgen! Dit was pas een avontuur! Maar ze miste haar bed, haar schone po, zelfs de mierikswortel.

Op een kruising hield ze stil. Links was de weg naar Krummel, reisdoel eenendertig, bekend van het beleg van Krummel, rechts Belbourg, de plaats waar de boot zou vertrekken. Het was dag drieëntwintig en morgen moest ze in Belbourg zijn, anders zou de boot vertrekken met dertig kilo boeken. Ze besloot direct naar Belbourg te gaan.

Die nacht sliep ze zittend in een boom, bang voor de zwijnen en voor alles wat ze wel hoorde maar niet kon zien. Ze had het koud en ze had honger, maar de maan was prachtig. Op een tak verderop zong een roodborstje alleen voor haar. De volgende morgen liep ze het laatste stuk naar de zee. Ze zocht een plek waarvandaan ze de haven kon zien en wachtte. Om drie uur kwamen ze: Theodore voorop, Christopher met de caravan erachter, gevolgd door het koetsje met Nanette en François. Ze zag hoe Christopher tegen de caravan praatte en verderop ruzie maakte met Nanette. Hoe Theodore met de schipper onderhandelde en de caravan aan boord werd gehesen. De avond kwam, Nanette, Theodore en François verdwenen en Christopher bleef achter op het dek. Hij praatte wat tegen de caravan maar toen er geen antwoord kwam, ging hij verderop langs de reling staan staren over de grijze zee.

Amandine wachtte tot het dek verder leeg was en sloop aan boord. Ze pakte de sleutel en opende het deksel. Christopher keek om, verbijsterd. Hij kwam dichterbij, Amandine stapte in de caravan. Toen hij bij haar was, pakte ze hem vast en kuste hem. Ze schopte de boeken opzij, gaf Christopher de sleutel en liet het deksel met een klap dichtvallen. In gedachten streepte ze reisdoel tweeëndertig door en ging tevreden op haar bed liggen. Het was tijd om naar huis te gaan.

Jef Aerts
Het eendennest

Toen Tinka in het stalletje de eenden ging voeren, vond ze een oud heertje op het nest. Hij had zijn cape met lange panden rond het stro gelegd en zat te broeden alsof hij dat altijd al zo had gedaan. Voorzichtig schuifelde Tinka dichterbij. Ze hield het blik met voer stevig in de hand en zou niet aarzelen om het heertje tegen het hoofd te slaan, mocht hij een verkeerde beweging maken. Maar het heertje bewoog niet. Ja, zo nu en dan schudde hij zijn billen wat vaster op de eieren, maar verder maakte hij geen aanstalten om snel weer van het nest te komen.

Tinka speurde het stalletje af. Van Grijsje was geen spoor te bekennen. Het waterbakje was niet zo modderig als gewoonlijk en bovendien lagen er nog wat maïskorrels op de grond. Je zou denken: als dit heertje een echte heer was, dan zou hij nu overeind springen en zijn excuses aanbieden. Hij zou het stro van zijn cape slaan, een kleine buiging maken en dan snel het pad af lopen naar de straatkrant. Maar het heertje sprong niet op en maakte geen buiging. Hij zei niet eens 'excuseer' toen

Tinka pal voor hem stond, het voerblik nog steeds in de aanslag.

'Wat doet u hier?' vroeg ze, veel vriendelijker dan ze het eigenlijk van plan was.

Het heertje duwde nog even met zijn achterwerk de eieren in positie en zei toen: 'Zie je dat dan niet?'

'U zit op het eendennest,' zei Tinka.

'Precies,' zei het heertje.

'Maar waarom?'

'Om de eieren warm te houden natuurlijk.'

'Bent u dan broeds?'

Het heertje keek haar verbaasd aan.

'Of u broeds bent, net als Grijsje?'

'O, dat bedoelt u. Nee hoor. Ik ben hier alleen even met vakantie.' Het heertje wees naar de schutting vlakbij. Op de grond stond een geruit koffertje, een broodtrommel en een fles tomatensap.

'Waar is ze?' vroeg Tinka en ze probeerde er niet aan te denken dat het heertje haar lievelingseend iets had aangedaan. Misschien had hij haar kaalgeplukt en zat het koffertje vol grijze donsveertjes.

'Ook op reis,' antwoordde het heertje. 'Heeft ze daar dan niets over gezegd?'

Nee, dacht Tinka, daar had Grijsje niets over gezegd.

'Het is een huisruil,' zei het heertje nog. 'Ik ben oud en stijf en het doet me goed even rustig te zitten. Zij droomde al langer van een écht zwembad. Twintig bij tien met een duikplank en automatische waterzuivering. Ze wou nog één keer alleen op vakantie, voor al dat kleine grut er is.'

Tinka kon haar oren niet geloven. Een huisruil? Ze probeerde zich voor te stellen hoe Grijsje nu midden in het zwembad lag te drijven op een roze luchtmatras, met onder de ene vleugel een schijf watermeloen en onder de andere een glas limonade.

'Hoe lang denkt u te blijven?' vroeg ze toen maar.

'Dat hangt ervan af,' zei het heertje. Hij boog zich naar de grond, tilde zijn onderlijf wat op en probeerde toen net als een eend met zijn neus de eieren te verrollen. Tinka kon zijn pezen horen kraken van de inspanning.

'Waarvan?'

'Of ze kan opschieten met mijn vrouw.'

'Uw vrouw?' Nu kreeg Tinka het pas echt benauwd. Dat haar eend op vakantie wilde, kon er nog net in. Maar dat ze dan ook nog eens bij een vreemd dametje zou gaan logeren, begreep ze niet. Was haar maïs soms niet vers genoeg of maakte ze het waterbakje niet vaak genoeg schoon?

'Mijn vrouw wilde niet mee op reis. Begrijpelijk natuurlijk, want zo'n eendennest is voor één persoon al best krap.'

'Ik moet ernaartoe!' riep Tinka.

'Rustig maar, kind. Het is vakantie.'

'Waar is dat zwembad?' Tinka moest zich inhouden om het voerblik niet naar zijn hoofd te keilen.

'Eerste straat links, dan rechts en na honderd meter zie je een oud huis met een plastic fonteintje voor de deur. Het zwembad is helemaal achter in de tuin.'

Tinka liet het voerblik vallen en rende zo snel ze kon

de straat uit. Eigenlijk woonde het heertje vlakbij, gek dat ze hem nooit eerder in de buurt had gezien.

Achter in de tuin stond een wilde rozenhaag. En achter die haag hoorde Tinka geplons, gespetter en... het vrolijke gesnater van Grijsje. Van tussen twee bloemen zag ze hoe haar eend rondjes peddelde in het zwembad. Tinka probeerde zich nog precies te herinneren waar ze de vorige dag over hadden gepraat. Ze hadden de oren tegen de eieren gelegd om te horen of er al ergens een piepje klonk, en ze hadden nagedacht over grote gezinnen en of dat als alleenstaande moeder wel zo handig was. Ja, daar was Grijsje wel wat mistroostig van geworden. Ze zag enorm op tegen alle drukte van een hele hoop kuikens. Ze zouden haar met koud water nat pletsen, veel kabaal maken en al dat dons zou kriebelen aan haar zwemvliezen. Maar over op reis gaan had ze geen woord gezegd.

Aarzelend kwam Tinka tevoorschijn. Het duurde even voor Grijsje haar opmerkte, maar ze leek niet eens te schrikken toen ze haar zag.

'Wat is het hier leuk!' kwaakte ze, terwijl ze met beide vleugels de druppels in het rond spetterde. 'Ik had hier al veel vroeger heen moeten komen!'

De moed zonk Tinka nu helemaal in de schoenen. Ze dacht aan haar eigen moeder en dat het haar ook wel eens te veel werd, met twee kinderen in huis. En dan ging ze ook onvoorspelbare dingen doen. Belachelijk veel geld uitgeven aan één paar schoenen dat ze nooit droeg. Of zo lang haar hoofd onder een koude douche houden, dat ze nog nauwelijks kon ademhalen. Maar weglopen van huis had ze nog nooit gedaan. En zeker niet op zo'n belangrijk moment!

'Ik vind het maar niets,' zei Tinka.

'Het is geweldig!' borrelde de eend met een bek vol water.

'Je had het me wel even kunnen zeggen.'

'Vind je het niet goed dan?'

'Nee, natuurlijk niet! Straks komen je kuikens op de wereld tussen een paar herenbillen. Is dat dan wat je wilt?'

Aan de andere kant van de haag klonk geritsel. Eerst kwam er een hark en toen een hoofd tevoorschijn. Het dametje had een vriendelijk gezicht en op haar neus stond een hele dikke bril.

'Alles naar wens, mevrouw?' vroeg het dametje aan de eend. 'Ik hoorde je stem. Had je me geroepen?'

'Nee, hoor. Ik heb bezoek.'

Het dametje bekeek Tinka heel aandachtig van top tot teen. Ze zette de hark aan de kant en kwam wat dichterbij.

'Ze heeft vreselijk slechte ogen,' fluisterde Grijsje terwijl ze naar de rand van het zwembad dreef. 'Vanaf twee meter afstand ben je niet meer dan een wazige vlek.'

'O,' zei Tinka.'

'Zo zo,' zei het dametje. 'Daar ben je dan.'

Grijsje klom aan land, liet haar pluimen opbollen en schudde toen de druppels in het rond.

'Dus u gaat nooit met vakantie?' vroeg Tinka aan het

dametje, dat nu zo dichtbij stond dat ze de pepermunt in haar adem kon ruiken.

'Nee,' zei het dametje. 'Ik vind het veel te eng om weg van huis te zijn. Op een vreemde plek loop ik overal tegenaan.'

'Wat naar voor u,' zei Tinka.

'Valt best mee hoor,' zei het dametje. 'Zeker in goed gezelschap, hè mevrouw Grijsje?'

Tinka vond dat het nu allemaal wel lang genoeg had geduurd: haar eend die een nest ruilde voor een zwembad. En bovendien haar maïs liet staan voor toast van een oud dametje dat haar 'mevrouw' noemde. Ze nam zich voor om die twee eens flink te zeggen wat ze ervan dacht. Thuis zou ze het heertje van het nest duwen en de eend er weer op zetten, met een omgekeerde waskorf eroverheen zodat ze nooit meer op vakantie kon.

'Wil jij me even in het zwembad helpen?' vroeg het dametje net op het moment dat Tinka al haar moed had verzameld om Grijsje vast te grijpen en onder haar arm te klemmen.

'Euh?' zei Tinka.

'Ik mag van mijn man niet alleen in het water. Ik zie te slecht. Maar nu hij op reis is...' Het dametje knipoogde naar haar. Ze had haar gebloemde schort al uitgetrokken. Daaronder droeg ze een rood zwempak met een kanten boordje. 'En je mag er natuurlijk zelf ook in.'

'Ja! Toe dan?' snaterde Grijsje. 'Het is hier fantastisch.'

Er viel een lange stilte. Tinka keek naar het dametje in haar potsierlijke badpak, naar de eend op het water, naar de duikplank en de opblaasboot aan de zijkant.

'Nee,' zei ze toen vastberaden. 'Ik ga naar waar jij echt nodig bent, Grijsje: bij je eieren.'

Het heertje zat op het nest de krant te lezen, toen Tinka weer het stalletje binnen kwam. Af en toe schoof hij wat heen en weer, maar verder was alles zoals ze het daarnet had achtergelaten.

'En?' vroeg ze. 'Is er al wat?'

'Nee,' zei het heertje. 'Maar het leek net of ik wat voelde kriebelen.' Hij sloeg de panden van zijn jas opzij, zodat hij het nest beter kon zien.

'Je meent het niet!' riep Tinka. 'Mag ik even kijken?'

Traag kwam het heertje overeind, met zijn kromme vingers zocht hij steun tegen de wand. De eieren waren nog even gaaf als de avond daarvoor. Tinka haalde opgelucht adem.

'Zullen we?' vroeg het heertje toen hij zich voorover boog om een ei te pakken.

'Afblijven!' zei Tinka. 'Ik doe het wel.'

Een voor een nam ze de eieren in haar hand. Ze tilde ze een beetje op naar het kleine stalraampje zodat ze de schaal beter kon bekijken. Minutenlang bleef ze turen naar de glanzende eieren. Het heertje was vlak bij haar gaan staan. Ook zijn adem rook naar pepermunt.

Bij het laatste ei gebeurde het: net toen ze het omdraaide, verscheen er een minuscuul barstje in het oppervlak. Niemand zou het hebben opgemerkt, het was nog kleiner dan een vlooienjong, maar Tinka en het heertje hadden het gezien. Een hele tijd zeiden ze niets en bleven schouder aan schouder staan kijken. Toen klonk er een piepje, heel stil weliswaar, maar het was een piepje. Tinka hoorde het heertjeshart bonzen onder zijn pak. Zoveel opwinding had hij vast niet van een huisruil verwacht.

'Moet je Grijsje niet op de hoogte brengen?' vroeg hij toen ze de eieren weer netjes in het nest hadden geschikt. 'Ach, waarom zou ik?' zei Tinka. 'Ze wil me toch niet horen. En in een nest vol kuikens heeft ze al helemaal geen zin.' Als haar eigen moeder eenmaal zo'n bui had, duurde het ook altijd even voor ze weer gewoon deed, soms zelfs het hele weekend. Iedere avond bakte ze dan diepvriespizza. En ze wilde voortdurend uitstapjes maken of koffiedrinken op een terrasje in de stad.

'Over de eieren hoef je je geen zorgen te maken,' zei het heertje nog. 'Ik denk dat ik intussen toch ook een tikje broeds ben geraakt.'

Tinka haastte zich toch maar weer naar het oude huis. Al vanaf de straat hoorde ze Grijsje kwebbelen. Het dametje zat nog steeds in haar zwempak op de rand van het zwembad. Grijsje probeerde haar met gesnater wat op te vrolijken.

'O, daar ben je weer!' zei het dametje, zodra ze Tinka's voetstappen herkende. Haar gezicht klaarde weer op. 'Wil je me dan nu het water in helpen?'

'Nee, het spijt me. Dat kan echt niet,' zei Tinka en ze kon haar opwinding nauwelijks onderdrukken. 'Er is een piepend ei!'

'Echt?' vroeg het dametje.

'Hoe kan dat nu?' Grijsje keek haar bedenkelijk aan. 'Heb ik me dan zo in de datum vergist?'

'Weet ik veel,' zei Tinka. 'Jij hebt die eieren gelegd, niet ik.'

'Ik dacht echt dat het pas volgende week zou zijn. Welke dag is het vandaag?'

'Geen tijd te verliezen, mevrouw Grijsje,' zei het dametje, dat intussen overeind was gekrabbeld. 'Vakantie of niet, je laat je kuikens toch niet alleen met die echtgenoot van me?'

'Nee, wat denk je wel!' kwaakte Grijsje en ze waggelde zo snel ze kon weg achter de rozenhaag.

'Geef je me een hand?' vroeg het dametje aan Tinka toen ze de straat hadden bereikt. 'Ik wil nu liever niet verdwalen.'

Tinka nam haar bezwete hand vast. Ze schaamde zich er plots voor dat ze daarnet zo onaardig was geweest en deed haar uiterste best om het dametje niet te laten struikelen over de stoepstenen.

Grijsje was druk in de weer om nieuwe donsveertjes rond het piepende ei te leggen. Een voor een inspecteerde ze ook de andere eieren, terwijl ze heel zachtjes kwaakte. Toen bolde ze haar veren op en kroop traag op het nest.

'Misschien moeten we een volgende keer toch even in de agenda kijken wanneer we een huisruil doen,' zei het heertje, dat naast het nest stond toe te kijken. Hij sloeg het stro van zijn cape en nam zijn koffertje van de grond.

'En als je de kuikens echt beu bent, zet ze dan af bij het zwembad. Ik houd ze wel gezelschap,' zei het dametje.

'Bedankt allebei,' zei Grijsje. 'Ik heb nog nooit zo'n fijne vakantie gehad.'

Het heertje en het dametje knikten beleefd en sloegen toen een arm om elkaar.

'Wacht, ik kom mee,' zei Tinka en ze wees naar het rode zwempak van het dametje. 'Nu Grijsje weer op haar nest zit, heb ik ook wel zin in een duik. Zullen we?'

Corien Botman
Allemaal in een dag

Onder de grote kei was je veilig. Overal hoorde May pootjes van andere larven over de bodem van het meer schuifelen. Alleen zij en haar beste vriendin Fae kenden deze plek, diep in het donkergroene slijk, waar de rietstengels begonnen. De kei was hun geheim. Alleen hier kon je dromen over de verte en over op reis gaan. Over weggaan zonder terug te komen. Over meer zien, meer proeven, meer voelen. Andere vissen, zoetere algjes, zacht bodemzand. Hier fluisterden ze over de plek waar alles anders zou zijn. De verte, de verte!

Voorzichtig gluurde May om een hoekje. Gaia probeerde iedereen te vinden. Zwaar en log ploegde de larf door de dikke laag algen. 'Ik zie jullie. Ik zie iedereen,' riep ze. 'Kom maar tevoorschijn!'

May grinnikte. Ze wist wel beter – niemand kon hen hier vinden. Ze legde haar kop in haar nek, net als Fae. Ver boven zich, hoger dan het hoogste water, zagen ze het grote licht. Als een enorm geel weekdier wiebelde het boven hen. Daar zouden de larven uiteindelijk allemaal naartoe gaan.

Op de bodem van het meer leerden ze alles voor die grote reis. Ze oefenden omhoogzwemmen en leerden over de afschuwelijke roofmonsters die ze onderweg tegen konden komen. Monsters met boze bekken, lange plaktongen, scherpe tanden.

May hield van de drassige grond. Ze was dol op de kleine diertjes die je zomaar naar binnen kon slobberen. Zij ging niet naar boven. Nooit! Ze zou hier blijven, de bodem van het meer afgrazen, steeds verder. 'Naar de verte,' mompelde ze. 'Niet omhoog.'

Fae en zij zouden samen in het donker blijven. Dat hadden ze al heel lang geleden afgesproken.

De volgende dag was de plek waar ze oefenden versierd met lichtgevende waterplanten. May had nog nooit zoiets gezien. 'Is het feest?'

Fae duwde haar voort, steeds sneller. 'Ik voel me zo plechtig,' hijgde ze.

May keek opzij. Fae had een vreemde blik in haar ogen, alsof ze lopend droomde.

Alles leek betoverd. Zilveren visjes vormden een erehaag en klapten in hun vinnen als er een larfje voorbijkwam. Ze bliezen feestelijke bellen over hen heen.

'Welkom in het licht,' prevelde de grote leider, telkens als er een larf door de haag was gegaan. 'Dit is de week van de waarheid. De week van de reis naar het licht.'

Er ging een trilling van opwinding door de groep. 'De reis, het licht!'

'Deze week veranderen jullie in vliegjes.' Schril drong de stem van de leider door alles heen, tot diep in de bonzende borst van May. 'Jullie zullen je bruine vel verliezen, je eerste vleugels krijgen, gaan verpoppen. Je wordt een meivlieg!'

'Vleugels,' zoemden de larven. Hun voelsprieten trilden. 'Op reis!'

Niet luisteren, dacht May. Ze kon het niet aanhoren. 'Kom, wegwezen!' Ze duwde Fae de groep uit, maar de opgewonden larven duwden terug.

'Twee keer! Een tweede keer verpoppen,' schreeuwde de leider.

Nog een keer? Waarom? Ze waren al zo lang larven, langer dan May zich kon herinneren. En nu zouden ze binnen een paar dagen twéé keer veranderen? Waarom had de leider dat nooit eerder verteld?

Met dat eerste paar vleugels, hoorde ze, kon je niet vliegen. Maar met de volgende vleugels zou ze opstijgen naar het grote licht. Om haar heen barstte opgewonden gezoem los. 'Het grote licht! Licht! Licht!'

Hoorden ze niet hoe het verder ging? Hoorden ze het verschrikkelijke niet?

'Eten hoeft dan niet meer, je hoeft alleen nog maar te vliegen. Je mond zal verdwijnen, omdat je hem niet meer nodig hebt.'

May werd duizelig, haar kaken maalden lucht. Mond kwijt. Niet meer praten. Niet meer eten. Ze sloeg haar poten om haar kop, wiegde wanhopig heen en weer. Ze neuriede het lied van het veilige groene donker, steeds harder, tot ze krijste.

Om haar heen zoemden de andere larven een zang van vreugde: 'Naar het licht. Naar de vleugels. Omhoog!'

May en Fae zaten diep weggekropen onder de grote kei. 'Wat moeten we doen?' May bleef maar klappertanden. Zelfs de kei leek opeens niet veilig meer. Fae keek wazig. 'Kunnen we wat doen?' 'Weglopen,' zei May. 'We zouden toch naar de verte? Dit is het moment om te gaan!' 'Ach, de verte...' Fae keek nog steeds een beetje raar. 'Misschien is het grote licht ook wel prachtig.' May schrok. Wilde Fae niet meer mee naar de verte? Ze zouden samen gaan!

Opeens zag ze iets bewegen. Ontzet deed ze een paar stappen terug. Achter de kop van Fae ontvouwde zich een grijs vliesje. Vleugels! May wees. Fae draaide zich om, maar haar vleugels draaiden mee. 'Met vleugels kun je niet naar de verte!' gilde May. 'Stop! Geen meivlieg worden!' Toen zag ze de staart van Fae. De korte larvenhaartjes waren opeens veranderd in drie afzichtelijk lange slierten!

May deed haar ogen dicht. Als ze niet keek, was het allemaal niet echt. Als ze zich nu zou ingraven in het veilige groen, zou zij geen vleugels krijgen, geen rare staartharen. Langzaam begon ze achteruit te kruipen, weg van Fae.

Maar toen begon Fae op te stijgen. Helemaal vanzelf. May keek haar na. Ze zag Faes grote ogen.

Haar stem was schor van angst. 'Nog niet! May, houd me vast!'

Net voordat Fae verdween in het hoge lichte water, greep May de nieuwe staart vast. Maar hoe ze ook sleurde, Fae kwam niet meer naar beneden. Samen zweefden ze naar boven, alsof daar iets was dat hen omhoog trok.

Heel langzaam verdween hun kei uit zicht. De drassige verten moesten enorm zijn. Zou ze ooit weer naar beneden komen om ze te ontdekken?

Eindelijk werden de wuivende waterplanten dunner. Toen ze haar blik los van de grond durfde te maken, zag May opeens iets flitsend op haar afkomen. Roofmonsters! Een kleintje voorop, daarachter een grote. Ze hadden glimmende buiken en drie stekels op hun rug.

May spartelde met haar achterlijf om Fae naar de rietstengels te sleuren, maar ze waren al gezien. Met opengesperde bek kwam de kleine dichterbij.

Nu was het gebeurd – ze werden opgevreten, nog vóór ze bij het grote licht waren! May pakte de staart van Fae nog steviger beet en kneep haar ogen dicht. Maar er kwam geen vissenbek. Het water begon te kolken, ze werden samen tegen de rietstengels gekwakt. May gluurde door de spleetjes van haar ogen.

De grote vis had de kleine vis opzij geduwd. 'Geen larven eten!' Er kwamen boze bellen uit zijn bek. 'Ik heb het al zo vaak gezegd! Kun je niet één dag wachten?!'

Maar het kleine monster viel weer aan. Het water ging verschrikkelijk tekeer. Hoewel ze nog steeds omhoog gingen, lukte het May om Fae achter een stengel te duwen.

'Bek dicht!' bulderde de grote. 'Het zijn eendagsvliegen. Morgen liggen ze al op het water. Met knapperige vleugels en een buik vol heerlijke eieren. Geduld!'

Het kleine monster deed met een klap zijn bek dicht. Woest keek hij May en Fae aan. Toen draaiden beide vissen zich om en zwommen weg.

May trilde. Ze waren ontsnapt. Maar was het wáár? Zouden ze maar één dag leven? Moest ze naar het grote licht om maar één dag te leven?! Uit alle macht trok ze aan Fae, maar ze bleven langzaam opstijgen.

Het water werd warmer en opeens waren ze aan het oppervlak. May kreeg grote golven lucht binnen. Ze kneep haar ogen dicht tegen het felle licht en krabbelde samen met Fae op een waterlelieblad tussen de rietstengels. Stil keken ze naar de nieuwe wereld. Het grote licht was helemaal geen wiebelig geel weekdier maar een knalgele ronde bal. Onder water had het geborreld en gesuisd, hier ruiste en floot alles.

'Dat is het dus,' zei May.

Fae zei niets.

Toen May opzij keek, stokte haar adem. Fae was voor de tweede keer uit haar vel gekropen. Ze had prachtige vliesvleugels gekregen en een fragiel, lichtgroen lijfje.

Even voelde May zich betoverd. Deze nieuwe wereld, die schitterende gele bal, de breekbare vleugels van Fae... Maar toen zag ze Faes gezicht: ze had geen mond meer!

'Zeg dan wat!' krijste ze, maar Fae reageerde niet.

May trilde over haar hele lijf. Teruggaan, meteen! Ze pakte Fae beet en duwde haar naar de rand van het lelieblad.

Een diepe brom leidde haar af. May draaide zich om. Een prachtig wezen zat op een overhangende tak achter haar. En wezen met veel grotere vleugels dan Fae, en een lang, felblauw gekleurd achterlijf. En die ogen! De twee grote zwarte bollen draaiden alle kanten op.

'Waar zijn je vleugels?'

May schrok van de donkere stem. 'Ik krijg geen vleugels,' piepte ze.

De grote blauwe gooide haar kop naar achteren en lachte. 'Natuurlijk wel,' zei ze. 'Voor de avond valt heb je vleugels en vlieg je naar het licht.' Ze wees met het puntje van haar blauwe staart in de lucht.

Heel hoog, tussen zichzelf en het grote licht, zag May een lichtgroene wolk langzaam op en neer gaan. Ze werd er draaierig van.

'Daar vliegen jullie mannetjes. Je vriendin klimt straks in de hoogste rietstengel en wacht op een vleugje wind. Dan stijgt ze op. Een van die mannetjes grijpt haar met zijn lange voorpoten en prikt haar net zo lang tot de eitjes in haar buik helemaal goed zijn.'

May wankelde. 'En dan?' fluisterde ze.

'Dan legt je vriendin haar eitjes op het water.' De grote blauwe boog zich dichter naar May toe. 'En als ze leeg is gaat ze dood.'

'Na één dag?'

De grote blauwe knikte. 'Alles in één dag.'

May dacht aan de verte op de bodem van het meer. Aan de leider en de grote kei. 'Maar waarom leven we dan?'

De grote blauwe liet haar ogen draaien. 'Omdat je wordt geboren, domme vlieg.'

May staarde in de verte. 'Maar wat is het doel?' vroeg ze. 'Wat is het nut van het leven?'

'Wat is het nut van nut?' De grote blauwe gooide haar lachende bek nu zo ver naar achteren dat ze de punt van haar eigen staart raakte. 'Je bent van nut als vissenvoer. En als voer voor libellen! Beter een eendagsvlieg dan een geendagsvlieg.' De tak veerde op. Ruisend kwam de blauwe op het lelieblad af.

May schoof naar achteren en trok Fae net op tijd weg voor de open bek. Trillend wachtten ze op de volgende aanval, maar de grote blauwe was verdwenen.

Vissenvoer. Zij was een slobberdier voor andere wezens. May schudde haar kop. Nooit! Ze vertrok nu naar de verte. Ze zou geen voer worden. Fae zou het vast begrijpen, ook al kon ze dat niet meer zeggen.

'Fae...' zei ze. 'Luister eens...'

Maar er vloog weer iets over. Iets reusachtigs dat piepte en klepperde. Iets waar de leider nooit over had gesproken.

May en Fae doken in elkaar, het geklepper verdween.

'Fae...' begon ze weer.

Maar Fae luisterde niet, ze kéék. May volgde haar starende blik naar een lichtgroen vliegje, dat naar beneden dwarrelde. Ze kneep haar ogen samen. Was dat Gaia?

Het vliegje had de voorpoten gevouwen en zeilde in hun richting. Ze had een dikke buik en een gelukzalige uitdrukking in haar ogen.

Als Gaia een mond had gehad, dan had ze geglimlacht. May schudde met haar kop. Ze wilde hem niet zien, die glimlach.

Sierlijk kwam Gaia neer. Zwaaide ze? De wind blies tegen haar vleugels. Op het water danste ze een paar keer om haar as. Toen begon ze eitjes te leggen. Tien, twintig, honderd, duizend...! Ze leek licht te geven, Gaia, na elk eitje meer.

Met open mond keek May toe, totdat ze in de verte het vliegmonster weer hoorde. Hij kwam voor Fae! Ze dook bovenop haar vriendin en drukte haar tegen het lelieblad. Ze hoorde zichzelf het lied van het groene veilige donker krijsen, ze krijste zo hard ze kon.

De vlieger kwam in een glijvlucht naar beneden en bleef fladderend voor haar in de lucht hangen. Het was niet de grote blauwe, maar een nog grotere donkere bol met een puntige bek.

'Wegwezen!' May krabbelde krijsend overeind, duwde haar borst omhoog en zette al haar poten in haar zij. Ze had zich nog nooit zo groot gevoeld.

De bolle zwarte deinsde achteruit. 'Stil! Krijsende eendagsvliegen en gillende honger,' kwetterde het beest, 'dat is te veel voor een zwaluw.'

'Je eet maar wat anders,' gilde May. 'Niet mijn vriendin.'

'Zal ik een larfje nemen dan?' Vliegensvlug kwam er een klein tongetje uit de puntige bek.

May deed een stap achteruit en begon weer te krijsen.

'Hou op!' riep de zwaluw.

'Eet maar zo'n grote blauwe.'

'Ik houd niet van libellen,' zei de zwaluw.

'Dan eet je die maar op.' Ze wees naar de lichtgroene wolk boven hen.

De donkere bol fladderde omhoog, maar kwam meteen weer terug. 'Daar vangt al een andere zwaluw.' Hij liet zijn kop hangen. 'Ik zit altijd in deze rotbuurt.

Niks te vreten.' Opeens keek hij haar doordringend aan. 'Daarom heb ik er een handeltje bij.'

'Handeltje?' vroeg May.

De zwaluw knikte. 'Ik vlieg naar de verte.'

May voelde haar mond droog worden. 'Wat is er in de verte?'

'Tijd,' antwoordde de zwaluw. 'Ik vlieg sneller dan de tijd. Ik kan je meenemen. Als je aankomt in de verte, ben je een tweedagsvlieg geworden.'

May maakte een sprongetje. Opgetogen pakte ze Fae bij de smalle schouders en schudde haar heen en weer. 'De verte!' riep ze. 'Fae! We gáán! Het kan! We hoeven niet omhoog!'

Ze hoopte een lichtje van vreugde te zien, maar Faes ogen waren bij de eitjes van Gaia. Haar gedachten leken al omhoog gevlogen, naar de mannenwolk.

De zwaluw scheerde weg en kwam na een rondje terug. 'Het is niet duur.'

May knikte, zonder echt te luisteren. Ze moest alleen gaan. Ze zou Fae nooit mee krijgen. 'Tweedagsvlieg,' zei ze zachtjes, net zo verlangend als de andere larven het woord 'vleugels' hadden uitgesproken. 'Wat kost het?' vroeg ze snel.

Er liep een drupje speeksel uit de bek van de zwaluw. 'Eén klein eendagsvliegje maar,' zei hij. Hij kwam al een stukje dichterbij fladderen.

'Staan blijven!' dreigde May. 'Anders begin ik weer te krijsen.' Even boog ze diep haar kop, haar voorpoten eromheen gevouwen. Toen keek ze op. Ze zag zichzelf, weerspiegeld in de ogen van Fae, en glimlachte.

'Een eendagsvlieg?' zei ze met heldere stem tegen de zwaluw, 'dat kan ik niet betalen.'

De zwaluw kwetterde kwaad en ging er met felle vleugelslagen vandoor.

May boog zich naar de kop van Fae. 'Omhoog...' fluisterde ze. 'Door de lichtgroene wolk heen vliegen. Eieren leggen. Opgegeten worden...' Voorzichtig legde ze haar poot tussen de broze vleugels van haar vriendin. 'En dat allemaal in één dag!'

Samen keken ze naar de voorbijdrijvende klont van Gaia's eitjes, die het grote licht naar alle kanten weerkaatste. Fonkelend licht, dat duizelingwekkend ver reikte.

May haalde diep adem. In de doorschijnende eitjes was de verte opeens heel dichtbij.

Ze schoof dichter naar Fae. Er kriebelde iets op haar rug. Was het een poot van Fae? Of... waren het vleugels?

Ze hief haar ogen naar het krachtige licht en voelde hoe het haar hele lijf verwarmde. In haar kop laaide een nieuw, schitterend lied op.

De verte was naar haar toegekomen.

Ze zou er een prachtige dag van maken.

Hans Hagen
Een bed voor de Chokydar

23 december, elf minuten over vijf. De motoren dreunden. Het vliegtuig begon te trillen. De lampjes in het toestel floepten aan. STOELRIEMEN VAST. Ik klikte de mijne dicht, maar de Pakistaanse passagiers trokken zich niets van het knipperende bordje aan. De meeste mannen kwamen overeind uit hun stoelen. Ze spreidden hun doeken op de vloer van het toestel dat nu iets voorover begon te hellen. Het motorgebrul werd luider. 'Niet doen!' riep de stewardess terwijl ze haar stoel bij de nooduitgang omlaag klapte. 'Ga allemaal zitten, *please!*' Haar woorden gingen verloren in het lawaai van de motoren. Machteloos keek ze om zich heen. De mannen knielden onverstoorbaar in het nauwe gangpad. Met voorhoofd en lippen raakten ze hun doeken aan. Ze wreven met hun handen over hun gezicht – het leek of ze zich wasten, zonder water.

'Wat doen ze?' vroeg ik aan Peter.

'Bidden.'

'Nu? Maar we zijn aan het landen. Iedereen moet zitten. Toch?'

'Het is tijd voor het ochtendgebed, Hanna, en dat vinden ze belangrijker dan zo'n bordje 'Stoelriemen vast'. Ik denk dat ze niet eens kunnen lezen.'

'Wil iedereen gaan zitten!' riep een dringende stem door de intercom. 'Over een paar minuten landen we op het internationale vliegveld van Karachi. *Sit down, please.* Voor uw eigen veiligheid!'

Ik keek verbaasd om me heen. De mannen die niet biddend op de grond lagen, klommen over de stoelen naar het gangpad. Ze haalden alvast hun handbagage tevoorschijn. Bijna allemaal hadden ze plotseling enorme tassen en cd-spelers in hun handen. Harde, ritmische muziek schalde door het vliegtuig: '*Don't worry, be happy ha ha...*'

Peter en ik landden bijna als enigen volgens de voorschriften van de bemanning op het vliegveld van Karachi. 'Maak je geen zorgen, wees blij ha ha...'

Het kan even duren voordat je rugzak er is, had papa geschreven. Maar maak je niet ongerust. In dit land gaat alles anders dan je gewend bent. Je zult je aansluiting echt niet missen. Maar ik begon toch te twijfelen – de lopende band stond nog steeds stil. Over drie kwartier vertrok het toestel naar Sukkur al, de stad waar papa en mama negen maanden woonden. Papa was waterbouwkundig ingenieur, hij werkte mee aan een irrigatieproject. Omdat er in Sukkur geen goede scholen zijn voor buitenlandse kinderen, moesten Peter en ik in Nederland blijven, bij opa en oma. Alleen met Kerstmis zouden we een paar weken naar Pakistan gaan.

'Misschien liggen onze rugzakken nog in Dubai,' zei ik. Peter keek op zijn horloge. 'Hoe laat is het?'

'Kwart over zes.'

'Weet je het zeker? Heb je hem op de goede tijd gezet?'

'Ja zenuwpees, het is hier vier uur later dan in Nederland. Rustig nou maar. Dat vliegtuig vertrekt heus niet zonder ons.'

Peter stak een heel eind boven iedereen uit. Zijn lichte krullen vielen erg op in de schemerige hal. Opeens werd er zachtjes aan mijn haar getrokken. Ik schrok en keek schichtig om me heen. Tientallen donkere ogen staarden me van dichtbij aan. De mannen hadden kleurige doeken om hun hoofd gewikkeld. Niemand was blond, zoals Peter en ik.

'Hij doet het,' zei Peter.

'Wie?'

'De lopende band.' Peter wurmde zich tussen de mannen door naar voren. Enorme pakken rolden de hal in. De koffers van de Pakistanen waren met dekens omwikkeld en met dikke touwen dichtgesjord. Bij de douane moesten ze alles uitpakken. De douaniers graaiden in de uitpuilende tassen en koffers...

'Hebbes!' Peter duwde me mijn rugzak in handen en beende weg. 'We gaan naar Sukkur,' zei hij tegen de douanier die ons wilde tegenhouden. Hij zwaaide met onze tickets voor de binnenlandse vlucht. 'We hebben haast, *please hurry*.' Gelukkig mochten we doorlopen naar de volgende hal. Er stonden lange rijen mensen voor loketten te wachten. Gehaast zochten we een bordje SUKKUR, maar we konden de Pakistaanse woorden niet lezen.

'Sukkur?' vroeg Peter aan een Pakistaan. 'Het vliegtuig naar Sukkur – the plane to Sukkur?'

De man keek ons lachend aan en knikte.

'Sukkur!' vroeg Peter nog een keer.

Weer knikte de man. We mochten voor hem in de rij. Opgelucht zette ik mijn rugzak op de grond. Het duurde bijna een half uur voor we aan de beurt waren. Maar toen we wilden inchecken, hoorden we dat we in de rij voor het vliegtuig naar Lahore stonden. Peter draaide zich om. 'U zei dat dit de rij voor Sukkur was?' De man achter ons lachte weer vriendelijk.

'Hij spreekt geen woord Engels!' riep ik. 'Rennen!' Nog net op tijd checkten we in bij de goede balie. Toen we de hal uit kwamen en naar de kleine Fokker holden, voelde ik voor de eerste keer de Pakistaanse zon op mijn vel.

Het toestel landde veilig op het vliegveld van Sukkur en taxiede over de hobbelige landingsbaan. Door het raampje zag ik een groepje mensen staan achter een hek. Waren papa en mama er bij? Ik wist het pas zeker toen ik mijn hoofd door de deur van het toestel stak.

'Hanna, Peter!'

'Mama!' Ik struikelde het trappetje af en wilde naar het hek rennen, maar een man in uniform hield me tegen en wees naar een klein gebouw.

'Eerst door de douane,' riep papa. 'Die kant op.'

Zwaaiend naar papa en mama liepen Peter en ik de hal in. We moesten twintig minuten op onze rugzakken wachten, maar het leek wel drie uur. Toen we eindelijk buiten kwamen, viel ik in mama's armen. Ze drukte me stijf tegen zich aan. We hielden elkaar alle vier vast. Ik was zo blij! Na een tijdje schoot me opeens iets te binnen. Ik ritste mijn rugzak open, rolde mijn T-shirts uit en haalde twee potten tevoorschijn. 'Pindakaas!' was het eerste wat ik zei. Alsof dat het belangrijkste was wat ik na drie maanden te vertellen had.

Akbar, de chauffeur van papa's werk, stuurde de Landrover over smalle wegen met diepe kuilen. Mijn haar wapperde in de warme wind. We passeerden ezelkarren met houten wielen. Bruine ossen met enorme hoorns staken de weg over. Op smalle dijkjes tussen de velden met palmbomen stonden witte ooievaars. En overal liepen mensen, sommigen met enorme bossen hout op hun hoofd. Mama klemde mijn hand stevig vast, Peter vertelde over onze reis.

Aan de rand van Sukkur lag een groot busstation. Bussen waar de mensen uitpuilden en waarvan zelfs de daken afgeladen vol zaten, reden luid toeterend weg. Een vrachtwagen, van onder tot boven beschilderd in schreeuwerige kleuren, stoof ons voorbij. Vanaf de achterklep staarde een zwarte adelaar mij met felgele ogen aan. 'Mooi?' vroeg papa.

Ik knikte. 'Mooi en warm. Het vroor in Nederland toen we weggingen. Hoe heet is het hier?'

'Ongeveer vijfentwintig graden, maar Akbar klaagt steeds over de kou. Hij heeft wel vier lagen kleren aan.'

De chauffeur draaide zich even om en lachte naar mij. We reden een rustiger buurt in. Ik kon alleen de daken van de huizen zien – om de tuinen waren hoge muren gebouwd met prikkeldraad erbovenop. Voor een brede ijzeren poort remde Akbar af en toeterde. Bijna onmiddellijk zwaaiden de deuren open. 'Welkom in Rosy Villa,' zei mama. Ze zwaaide naar de man bij de poort.

'Is dat Ameer?'

'Ja, dat is Ameer, onze bewaker. Of op zijn Pakistaans: onze chokydar.'

Ameer gaf mij een hand en drukte daarna zijn hand tegen zijn borst, op de plaats van zijn hart. 'Wat betekent dat?' vroeg ik.

'Hij verwelkomt je als een vriend,' zei papa. 'Je krijgt een plaats in zijn hart.'

Ik kreeg een kamer met een eigen badkamer. Ik wilde een slok water uit de kraan nemen, maar bedacht me net op tijd. Alleen gekookt water drinken, had mama gezegd, anders word je ziek.

Onder een palmboom in de tuin stond een grote bank. We dronken vers mangosap en gingen daarna naar het platte dak waar Ameer juist de was van de lijn haalde. 'Hij doet ook wat huishoudelijke klusjes,' zei papa. 'Wassen en strijken, daar krijgt hij extra voor betaald.'

'Handig,' zei Peter, 'en wat doet hij nog meer?'

'Hij zit van zeven uur 's morgens tot zeven uur 's avonds bij de poort. En dan wordt hij afgelost door Ghulam, de nachtwaker.'

'En wat doet die?'

'Slapen,' zei papa. 'Ghulam zet zijn bed tegen de ijzeren deuren en tussen zijn dromen door houdt hij de boel in de gaten.'

Plotseling hoorde ik een donkere stem door de lucht galmen. 'Dat is de imam,' zei papa, 'hij roept op tot gebed. De luidsprekers hangen aan de minaret van de moskee. Het gebeurt vijf keer per dag. Ongeveer een uur voor zonsopkomst begint het. Eerst werd ik er steeds wakker van. Nu niet meer.'

Ik luisterde naar de zangerige mannenstem. Beneden me zag ik Ameer op een kleedje knielen en met zijn voorhoofd de grond aanraken. Ik dacht aan de landing vanmorgen. Zou heel Pakistan nu op de grond liggen? Werd er vanaf alle minaretten opgeroepen tot gebed? Jammer dat ik de woorden niet kon verstaan. Stilletjes wachtte ik tot de stem van de imam was weggewaaid in de wind en tot chokydar Ameer weer op het stoeltje bij de poort zat. Toen pas ging ik achter de anderen aan naar beneden.

De volgende dag gingen mama en ik boodschappen doen in de stad voor kerstavond, samen met Akbar. We wandelden door steile straatjes met winkeltjes. Overal werden we aangestaard. Kinderen stootten elkaar aan, liepen met ons mee en begonnen hard te lachen. Sommigen wilden mij een hand geven, maar Akbar joeg hen weg. Ze vroegen van alles in het Engels: mijn naam, uit welk land ik kwam, waar ik woonde...

'*Hello, what's your name?*'
'*Where do you come from?*'
'*Where do you live?*'
Steeds dezelfde vragen.
Op de hoek van een straat stonden rieten manden

met kippen opgestapeld. Een jongen die ongeveer net zo oud was als ik zat gehurkt op de grond met een sigaret in zijn mond. Verveeld wapperde hij met een smerige doek om de vliegen te verjagen. Akbar koos drie kippen uit. De jongen sloeg ze achteloos de kop af, liet het bloed wegstromen in de goot en plukte ze kaal. Een wolk vliegen vloog op van het hakblok toen hij de kippen erop smeet. De jongen klemde een vlijmscherp mes tussen zijn tenen vast, met de snijkant omhoog. Met twee handen duwde hij de kippen op het mes – razendsnel sneed en hakte hij de dooie dieren in kleine stukken. Zonder te kijken gooide hij de ingewanden in een gore ton. Hij lachte naar mij toen Akbar hem betaalde en stopte het geld in het zakje van zijn roodgevlekte overhemd. De zoete geur van het bloed bleef de rest van de dag in mijn neus hangen.

'Vieren ze geen kerst hier? Ik zie nergens kerstmannetjes of bomen en ballen.'

Mama begon te lachen. 'Kerstmis is een christelijk feest,' zei ze, 'en Pakistan is een islamitisch land. Hier wordt de geboorte van Christus door bijna niemand gevierd.'

'Moet papa daarom gewoon werken op eerste en tweede kerstdag?'

'Precies. De islamieten vieren wel de geboortedag van Mohammed, maar die valt op een andere dag.'

Dzjing dzjing dzjing... Ik hoorde vrolijke belletjes achter me en wilde me omdraaien.

'*Look out!*' Akbar trok me nog net op tijd opzij. Een

grote kameel liep vlak langs ons heen. De koetsier die met de teugels in zijn hand op de platte wagen zat, grijnsde me toe. Ik telde twee tanden en één sigaret in zijn mond. 'Altijd aan de kant gaan als er kamelen aankomen,' zei mama. 'Die beesten lopen je zo omver. Die banden met belletjes om hun voorpoten dragen ze als waarschuwing.' Dzjing dzjing dzjing... Ik keek de heen en weer wiegende kop van de kameel na. En toen zag ik twee donkere gestaltes aan komen lopen met doeken over hun hoofd. Omdat er net een paar vrachtauto's en riksja's voorbij kwamen, konden de twee ons niet passeren. 'Niet zo staren,' fluisterde mama. 'Die twee vrouwen mogen hun gezicht alleen aan hun eigen familie laten zien. Daarom gaan ze in een purda over straat.' Maar ik staarde toch, vooral naar de kleinste. Door het stukje gaas kon ik haar ogen zien. Ik schrok. Het meisje leek maar iets ouder dan ik. Door de purda heen voelde ik hoe haar hand mij even aanraakte. 'Hoi,' zei ik zachtjes, maar toen werd zij meegetrokken door de andere vrouw. Als twee pionnetjes schuifelden ze de straat uit.

Aan het eind van de middag stonden we met de Landrover in een lange rij ronkende bussen, vrachtauto's, riksja's en ezelkarren te wachten tot we de brug over de Indus konden oversteken. Een agent stond als een bezetene te fluiten en te zwaaien dat iedereen door moest rijden, en in een trage rij kropen we de kilometerslange brug over. Daarna ging het weer sneller, richting station van Sukkur waar we hadden afgesproken met papa en Peter. Ik begon al een beetje te wennen aan de Pakistaanse kamikaze-stijl van rijden, maar ik snapte niet dat het steeds goed ging. De chauffeurs reden zo lang mogelijk recht op elkaar af – pas op het allerlaatste moment weken ze voor elkaar uit.

Papa en Peter waren er nog niet. We staken het stationsplein over en hoorden toen achter een moskee een koor van heldere stemmen. We liepen om het witte gebouw heen. In de schemering zat een grote groep kinderen op de grond. Een man dreunde telkens een paar zinnen op en iedereen zei het hem na. Niet gewoon, maar zo hard als ze konden. 'Aan het eind van de dag gaan de meeste kinderen naar de moskee,' zei mama. 'Ze lezen samen de Koran. Kom, de leraar vraagt of we weggaan. De kinderen kijken allemaal naar ons in plaats van naar hem.'

Ik zwaaide en wel tachtig handjes zwaaiden terug. Toen de man voor de groep mij niet meer kon zien, trok ik gekke bekken. Een schaterend gelach klonk op. Zoveel succes had ik nog nooit gehad.

We wandelden verder. De zon verdween bloedrood achter de huizen. Langs de kant van de weg stonden stoelen naast kleine tafeltjes. 'Dat zijn kapperswinkeltjes,' zei mama. 'Knippen en scheren, alles gebeurt hier op straat.'

Toen we bij een piepklein schoenmakerswinkeltje bleven staan, viel opeens de elektriciteit uit. Het was in één klap stikdonker! De schoenmaker stak een kaars aan en zette hem vast op zijn leest. Bij het licht dat het vlammetje gaf, werkte hij verder alsof er niets aan de hand was. 'Toch nog een beetje kerstsfeer,' zei ik tegen mama. Ze lachte en drukte mij tegen zich aan. Hand in hand liepen we in het donker terug naar het station.

24 december. Kerstavond. Ik was pas één dag in Pakistan, maar het leek al een week. Ghulam, de nachtwaker, was ziek en daarom nam Ameer zijn dienst over. Ik liep met een bordje eten door de frisse avondlucht naar de poort. Ameer zat in elkaar gedoken op een gammele stoel. Hij warmde zijn handen boven een vuurtje in een oude ton en lachte mij vriendelijk toe. Hij pakte een houten bed dat rechtop tegen de muur stond en legde er een dunne deken overheen.

'*Sit, sit.*'

Ik bekeek het wankele bed dat bespannen was met touw. Sliep de nachtwaker op dit gammele geval? Ameer veegde zijn bord met het laatste stukje brood schoon en dook toen nog verder weg in de doeken die hij omgeslagen had. 'Koud?' vroeg ik. '*Cold?*'

Ameer glimlachte.

Ik stond op en maakte hem duidelijk dat hij mee moest komen. Met tegenzin liep hij achter mij aan naar de andere kant van het huis. Ik probeerde de grote bank op het terras van zijn plaats te krijgen. 'Help,' zei ik tegen Ameer. 'Help me.'

Samen trokken en duwden we de bank de tuin door tot aan de poort. Ik schoof het houten bed opzij en we zetten de bank naast de ton. Toen holde ik naar mijn kamer, haalde een kussen en twee dekens en legde alles op de bank. 'Zo,' zei ik, 'een warm bed voor de nacht. *For you.*' Ik gaf de chokydar een hand en drukte mijn hand daarna tegen mijn borst, op de plaats van mijn hart. 'Gelukkig kerstfeest, *Merry Christmas.*'

'*Merry Christmas,*' fluisterde Ameer. Hij sloeg een van de dekens als een koningsmantel om zijn schouders en ging voorzichtig zitten. Ik sloeg de andere deken om en nestelde me in een hoekje van de bank. Samen staarden we naar de vlammen die boven de ton uit schoten. Ik hoorde geen klokken, zoals andere jaren. Wel het ruisen van de wind in Sukkur, Pakistan.

Benny Lindelauf
De kindheilige van Oussidin

I

Frankrijk, 1346

Toen Sebastian de kindheilige van Oussidin voor het
eerst zag, schrok hij. Hij stapte achteruit, struikelde over
een boomwortel en viel bijna. De Generaal klakte geërgerd met zijn tong, maar Sebastian was ervan overtuigd
dat ook hij zich het meisje anders voorgesteld had.
Thuis in Grenoux vond je kindheiligen op elke straat-
hoek: half verwilderde, broodmagere kinderen die dag
en nacht konden huilen zonder dat hun gezicht ook
maar een spier vertrok. Ondertussen staarden ze met een
gepijnigde blik naar de hemel en prevelden het ene gebed
na het andere. Sebastian wist dat hun ouders een korrel
zand achter elke oograd wreven. Iedereen wist dat. Toch
gaven de burgers van Grenoux graag en gul. Het waren
tenslotte de jaren dat de pest tekeerging als een uitslaan-
de brand. En dan was er nog de dreigende oorlog.
Sebastian zag meteen dat het meisje niet goed bij haar

hoofd was. Zelfs een halfblinde kon dat zien. Het hoofd van de kindheilige was te groot voor haar kleine lichaam, de neus te breed en platgeslagen. Haar ijsblauwe ogen waren scheve spleetjes. De spits opbollende borstkas leek op een vogelkooitje.

De kindheilige woonde in de plantenkas van de abdij van Oussidin naast de enorme houtkachel die de kas op temperatuur hield. Buiten was het kaal en leeg, maar binnen bloeiden overal exotische planten, bomen en kruiden. Het was er zo dichtbegroeid dat je het plafond en de muren niet zien kon.

Een week had de reis naar de abdij geduurd. Een tocht die normaal drie dagen besloeg.

'We moeten een omweg maken,' had de Generaal gezegd. 'Zodra we uit het woud van Grenoux komen zijn we in het gebied van de Vos en zijn leger. En aan de overzijde van de rivier wemelt het van de Strijders van het Oosten.'

Sebastian had het niet uitgemaakt. Hij was blij dat ze de stad uit waren.

Vier maanden lang had niemand Grenoux in of uit gemogen. De hertogstad lag precies tussen de strijdende legers in. Grenoux had tot nu toe neutraal kunnen blijven, maar het was niet de vraag óf maar wanneer de stad gedwongen zou worden tot een keuze.

Kwade tongen beweerden dat de Hertog te laf was om te kiezen, ook al had hij soldaten genoeg. Ze zeiden ook dat hij drankgelagen hield en daarna huilend in bed lag. Maar op de dag dat niemand meer iets verwachtte, verraste hij iedereen door de Generaal te roepen.

Binnen tien minuten gonsde het door de straten en steegjes.

'De Hertog denkt dat de kindheilige van Oussidin het tij kan keren!'

'Hij stuurt een patrouille om haar te halen!'

'Hij denkt dat alleen een écht onschuldig kind de oorlog kan afwenden!'

Hoe een kind een oorlog zou kunnen afwenden, was niemand duidelijk. Het gaf ook niet. Alleen het feit dat de hertog na maanden van stilzwijgen een opdracht gegeven had, maakte dat er een golf van opluchting door de hoogommuurde stad trok.

De grootste verrassing kwam toen de Generaal de keuken van de herberg binnenstapte.

'Jij kunt toch schrijven?' had hij zonder omhaal gevraagd.

Sebastian had geknikt. Voordat hij met Feliz in de herberg van Grenoux beland was, hadden ze vijf jaar bij de monniken gewoond, in de grot van de moestuin. Van hen had hij schrijven en bidden geleerd.

'Dan ga je mee,' zei de Generaal.

Je kon veel van Feliz zeggen, maar niet dat ze bang was uitgevallen. Ze ging met haar handen in haar zij voor de Generaal staan. 'Laat iemand anders berichten aan de Hertog schrijven terwijl de kanonskogels hem om de oren vliegen! Hij is nog maar een kind!'

'Ik ben helemaal geen kind,' antwoordde Sebastian verontwaardigd. 'Ik ben al bijna vijftien!'

Feliz negeerde hem. De Generaal negeerde hem trouwens ook. Het was een krachtmeting waar hij niet aan te pas kwam.

'Waarom vraagt u schoolmeester Vermin niet?' vroeg ze.

'Omdat de handen van Vermin krom staan van de jicht,' antwoordde de Generaal kort. 'En de hertog zoekt iemand die klein en precies schrijven kan.'

'Al was de hertog God van de wereld. Als hij denkt dat ik mijn broertje moederziel alleen de oorlog in laat trekken, heeft hij het mis!'

Sebastian keek haar ontdaan aan. Het gaf geen pas dat een vrouw zich zo gedroeg tegenover een man. En al helemaal niet tegenover een veldheer. Maar de Generaal knipperde niet eens met zijn ogen.

'Goed. Ga dan maar mee.'

'Wat?' vroeg Feliz verbluft.

'Ik zal nog een paar vrouwen meevragen,' zei de Generaal. 'Des te beter. Onze patrouille zal minder opvallen, dan wanneer we alleen met mannen op pad gaan.'

II

'U begrijpt dat het meisje de muren van de abdij nooit eerder verlaten heeft?' vroeg moeder overste.

'Dat zal de Hertog van Grenoux verheugen,' antwoordde de Generaal.

'Ze is niet sterk van lichaam.'

'Ons lichaam zal haar kracht zijn.'

'Haar geest kan dwalen.'

'Onze geest zal een anker voor haar zijn.'

Het gesprek was als een dans waarvan elke pas uitgeschreven was. Sebastian wist dat de Generaal veel moeite had gehad om die dans onder de knie te krijgen. Lezen en schrijven kon hij niet.

Toen de veldheer moeder-overste de volle buidel overhandigde, stopte de non het geld snel onder haar habijt. De oorlog spaarde niemand, ook nonnen niet. De achterzijde van de abdij was bij gevechten zwaar beschadigd. Er was dringend geld nodig, al zouden de nonnen dat nooit openlijk toegeven. Misschien dat moeder-overste daarom de brief van de hertog las met een blik alsof niets haar minder kon interesseren. Nadat ze een antwoord geschreven had, liet ze tergend traag lak op de envelop druppen en drukte er met haar zegelring het wapen van het klooster in.

Het meisje werd klaargemaakt. Toen ze uiteindelijk door de lage gang kwam, had ze nog steeds hetzelfde gewaad aan. Ze droeg een lelie, symbool van haar onschuld. De maanbleke bloem moest vers geplukt zijn want hij bloeide nog en de geur was overweldigend.

De Generaal boog diep voor het meisje.

In plaats van dat ze zijn buiging plechtig beantwoordde, giechelde ze knorrend.

'Maar wie is ze?' vroeg Sebastian toen ze terug in het tentenkamp waren. 'Wie is ze echt?'

Feliz schraapte onverschillig een pan uit, maar ze hield te veel van een verhaal om haar mond te houden. Nadat ze samen alle potten en pannen verzameld hadden, zei ze: 'Op een bitterkoude kerstnacht lag er een baby op de stoep van de abdij. Er wordt gezegd dat de wolven uit de bergen waren gekomen om met zijn allen voor de poorten te huilen. En dat moeder-overste met een fakkel in de ene hand en een steen in de andere naar buiten kwam, de sneeuwstorm in, om haar daar te vinden.'

Feliz boende de grote ketel met zand en grind. Haar tengere armen waren verbazingwekkend pezig en sterk. In de tijd dat Sebastian twee ketels had geschrobd, deed zij er vier.

'Kom, Sebastian, schiet eens op.'

Zuchtend pakte hij een handvol grind.

'Maar dat maakt haar toch nog niet heilig?' vroeg hij. 'En trouwens, als ze daar echt op kerstnacht gelegen had was ze toch allang doodgevroren.'

Feliz sloeg snel een kruis. 'De wolven hadden met hun ruggen een haag van ruige wintervacht gemaakt. En daar waar zij gelegen had, bloeiden de volgende ochtend rozen. Ze bloeien nog steeds. Het hele jaar door.'

'Onzin!' wierp Sebastian tegen. Rondom de abdij groeit geen sprietje gras meer. Alles is platgebrand. Alleen de kas staat er nog.'

Feliz wierp hem een vernietigende blik toe. 'Die bedoel ik ook, onbenul' zei ze. 'Dat is de plek waar ze de baby vonden. Later hebben ze daar de kas gebouwd.'

De Generaal had een kamp laten opslaan aan een dode zijtak van de rivier, tussen de boomgaarden. Voor de kindheilige van Oussidin was de speciale baldakijntent opgezet, maar daar liep ze steeds uit. Het stromende water had een grote aantrekkingskracht op haar.

Natuurlijk wilde niemand van de soldaten voor oppas spelen. En Feliz en de andere vrouwen hadden het druk zat met de voorbereidingen voor het eten.

'En wee je gebeente als je haar kwijtraakt!'

Mopperend liep Sebastian tussen de bomen door.

De kindheilige zocht stenen aan de oever. Daarna wilde ze van takken een huisje bouwen, maar ze was niet sterk genoeg om de takken te verslepen. Bazig en onverstaanbaar brabbelde ze tegen Sebastian. Haar stem was hoog en verbazingwekkend krachtig.

'Honguh.'

'We gaan zo eten.'

'Honguh!'

Een moment was hij haar kwijt, hij draaide zich om en ze was nergens. Hij hoorde haar een onduidelijk liedje zingen, maar kon niet uitmaken waar het geluid vandaan kwam.

'Oussidin?' riep hij, want hoe ze echt heette wist hij niet.

Het meisje stapte achter een van de appelbomen vandaan en lachte stralend. In haar hand had ze een roodgroene, glimmende appel. Ze nam een hap. Het sap droop over haar kin. Hoe ze aan de appel kwam was hem een raadsel. Het was eind november, de bomen waren kaal, de tijd van de oogst was allang voorbij.

Nog die avond schreef Sebastian het eerste bericht aan Grenoux, gedicteerd door de Generaal.

Hooggeboren Hertog,

We bevinden ons op de terugweg, op een halve dagtocht van de abdij, ten oosten van de rivier. Geen tekenen van de Vos of de Strijders van het Oosten. We bidden voor een veilige terugtocht.

Uit de vogelkooi haalde de Generaal een postduif. Hij bond haar het bericht om en liet de duif los. Het dier klapwiekte een cirkel om het tentenkamp heen en koerste naar de horizon.

III

De eerste tekenen dat er iets mis was, waren de ooievaars. In grote zwermen kwamen ze en ze vlogen zo laag over dat je hun bedroefde, zwarte ogen zien kon. Daarna kwamen de raven en kraaien.

In de middag steeg in het westen kalm een brede rookpluim op, maar het was geen snoeihout dat verbrand werd. Daar was de pluim te donker voor en walmde ze te veel.

Niet veel later kwamen de boeren en hun gezinnen. Ze liepen de patrouille van de Generaal tegemoet, hun bezittingen in haast bij elkaar gegraaid. Huilende vrouwen, kinderen met grote verschrikte ogen. Ze vroegen om bescherming, maar toen ze begrepen dat de Generaal het gebied in trok dat zij verlieten, haastten ze zich verder.

26 november

Hooggeboren Hertog,

Het is me ter ore gekomen dat het leger van de Vos een nieuwe slag voorbereidt tegen de strijders van het Oosten. Hoewel ik niet verwacht dat onze paden elkaar zullen kruisen, zal ik voorbereidingen treffen. Voor het einde van de volgende dag hopen we veilig het woud van Grenoux te bereiken.

27 november

Hooggeboren Hertog,

We hebben onze doortocht een dag uitgesteld. Een van onze verkenners is niet teruggekeerd.

30 november

Hooggeboren Hertog,

Wij bidden dat de verkenner niet in handen van de vijand gevallen is. Momenteel houden we ons schuil in de rietlanden van de rivier. We wachten op een geschikt moment om door te steken.

2 december

Hooggeboren Hertog,

Sinds het laatste bericht zijn twee etmalen verstreken. Onze situatie is inmiddels hachelijk. Het leger van de Vos post aan de rietlanden. Aan de overzijde van de rivier be-

*vindt zich een zwervende patrouille van de Strijders van
het Oosten. Onze proviand wordt schaars.*

6 december

Hooggeboren Hertog,

Het kamp van de Vos

Hooggeboren Hertog,

Ik zou u willen verzoeken

Oom,

*Ik weet dat Grenoux zich niet wil mengen in de strijd.
Maar willen wij de stad veilig kunnen bereiken, verzoek ik
u dringend het leger te sturen om ons een veilige terugtocht
te garanderen.*

IV

Toen Sebastian die avond de tent van de Generaal binnen kwam, zag hij meteen dat er geen inktpot, veer of
andere schrijfbenodigdheden klaarstonden. Alleen de
brief van moeder-overste lag op tafel. Het lakzegel was
gebroken.

'Lees,' zei de Generaal.

Sebastian schudde geschrokken zijn hoofd. God
mocht weten wat er voor straf stond op het openen van

de brief voor de hertog, laat staan op het lezen ervan. De Generaal liet zijn vuist met een daverende klap op tafel neerkomen.

23 november

Aan de hooggeboren Hertog van Grenoux,

Wij sturen u de kindheilige van Oussidin in Gods vertrouwen. Alle jaren dat het meisje hier was, was ze een vreugde voor ons, ook al was haar zwakke gezondheid een voortdurende bron van zorg. Wij bidden dat ze met eenzelfde zorg omgeven zal worden in uw hertogdom.

Een dringende waarschuwing, heer: de krachten die haar door God gegeven zijn, zijn een mysterie voor ons. Wij hebben haar goedheid nooit misbruikt. Ik vraag van u hetzelfde. Het valt niet te voorspellen wat er zal gebeuren indien iemand haar kwaad wil doen.

'Weet jij wat dit betekent?' vroeg de Generaal.

Sebastian aarzelde.

Niemand leek minder op een generaal dan de Generaal zelf. Zonder zijn harnas was hij haast tenger te noemen. Zonder dat harnas zag je trouwens ook dat hij veel jonger was dan iedereen dacht. Ook al droeg hij een monocle, en was zijn gezicht ontsierd door een lang rafelig litteken, hij kon hooguit een paar jaar ouder dan Feliz zijn.

'Wat denk je?' vroeg de Generaal.

Feliz had weleens gezegd dat Sebastian te slim was

voor zijn leeftijd. Het had eerder als een waarschuwing dan als een compliment geklonken. Waar Sebastian het lef vandaan haalde, wist hij zelf niet.

'Ik denk dat de abdij het meisje probeert te beschermen,' zei hij.

'Hoe bedoel je?'

'Door de lezer bang te maken. Het zou kunnen dat haar krachten eh...minder krachtig zijn dan de hertog hoopt,'zei Sebastian voorzichtig. 'Met de waarschuwing wil moeder-overste wellicht voorkomen dat iemand haar kwaad zal doen, als het meisje het wonder niet eh... kan bewerkstelligen.'

De Generaal zweeg. In de stilte was het flakkeren van de kaarsen hoorbaar en de rivier die verderop ruiste.

'Je gelooft niet dat ze heilig is,' zei hij toen.

Even was Sebastian bang dat hij te ver gegaan was. Niet geloven wat de hertog geloofde, was godslastering en de straf die daarop stond was de doodstraf. Maar de veldheer drong niet aan. Hij zat daar alleen maar, zwijgend, broedend.

En toen drong tot Sebastian door dat de Generaal wist dat de hertog geen hulp zou sturen. Vandaag niet, morgen niet, nooit.

En dat de Generaal evenmin in de heiligheid van Oussidin geloofde als Sebastian.

'Laten we bidden voor een godswonder,' zei de Generaal.

'Ga wat met dat kind doen,' zei Feliz.

'Waarom?'

'Ze moet in beweging blijven, anders wordt ze ziek.'

En wat dan nog? dacht Sebastian geërgerd. Als ze niet ziek wordt, gaat ze wel dood van de kou, of de honger. Of de soldaten van de Vos vinden haar en hangen haar op. Hangen ons allemaal op.

'Vooruit!' snibde Feliz.

De tenten van het kamp stonden dicht opeen in de beschutting van het rietland. Een klein eilandje was de enige plek waar ze nog droge voeten hadden. Oussidin zat rillerig op een boomstam.

'Verstoppertje?' vroeg Sebastian. Het meisje fleurde meteen op.

'Stopputje! Stopputje!'

Het was niet moeilijk haar te vinden. Ze liep met gierende ademhaling. En als je bij haar in de buurt kwam, begon ze knorrend te grinniken.

'Waar is Oussidin toch gebleven?'

'Gronk, gronk.'

'Waar zou Oussidin toch gebleven zijn?'

'Gronk! Gronk!'

Door het tekort aan droge plekken was het tentenkamp gehalveerd. De Kindheilige sliep in de veldkeukentent van Feliz, samen met de andere vrouwen. Ze was stapelgek op Feliz. En stapelgek op Sebastian, al zou hij nooit begrijpen waarom.

'Oussidin?'

Ze zat achter het grote veldbed. Een pluk melkboerenhondenhaar stak uit als een vergeelde graspol.

Zijn blik viel op de bloem. De lelie die ze had meegenomen uit de abdij lag in haar schoot. Eerst dacht hij er niets bijzonders van. Maar toen realiseerde hij zich dat ze inmiddels twee weken onderweg waren. Een moeizame, zware reis. Kou, regen en vorst. Het vreemde was dat de tere bloem nog net zo ongeschonden en gaaf was als op de eerste dag.

En hij geurde nog net zo sterk.

v

Vlak voor zonsopgang werden ze gewekt. Een stormachtige wind was die nacht volkomen onverwacht opgestoken. Volgens de Generaal lag daar hun kans.

Hun enige kans.

'We splitsen ons op,' zei de soldaat die hen gewekt had. ' De vrouwen en kinderen vormen met mij de eerste groep. De Generaal dekt met de andere mannen de aftocht.'

Achteraf gezien was het verbluffend simpel. Het tentenkamp van de Vos stond in het open veld en was een speelbal voor de woeste wind. Het leger had zijn handen vol aan geknakte tentmasten en losgeslagen doek.

Sebastian hoorde hun gevloek en getier en het vinnige klapperen, toen hij met Oussidin aan de hand het rietland uit kwam en zich in de maanloze duisternis haastte. Feliz had het meisje aan de andere hand vast. Achter hen kwamen de andere vier vrouwen.

Ze liepen zo snel ze konden met de moeizaam lopende Oussidin tussen hen in. Ze hijgde zwaar.

Honderd meter achter de Poortwachter begon het woud van Grenoux. Je had zes volwassen mannen nodig om de Poortwachter te omvatten. Zijn takken waren zo breed en dik dat hij al menig reisgezelschap een veilige nachtelijke schuilplaats geboden had.

Toen Sebastian in de ochtendschemer de eeuwenoude eikenboom zag opdoemen aan de voet van het kleine pikzwart meertje, voelde hij zich verschrikkelijk opgelucht. Hij had een hekel aan het open, onbeschutte grasland. Hij wilde de beschermende armen van het woud weer om zich heen voelen.

De kindheilige van Oussidin leek haar vermoeidheid te vergeten. Ze brabbelde in haar onduidelijke taaltje en strekte haar armen uit, alsof ze de Poortwachter en het woud erachter al wilde omhelzen.

Ook de andere vrouwen waren opgelucht. Hij hoorde hen zacht en opgewonden roezemoezen. De vreemde stormwind was net zo plotseling opgehouden als hij opgestoken was.

Sebastian zou nooit kunnen zeggen wat maakte dat hij zich omdraaide. Maar toen hij het deed, zag hij hoe het eerste daglicht als vuur over de brede rug van de rivier vonkte.

En hij zag de ruiters.

Ze naderden op hun gemak, de paarden draafden soepel. De banieren van de Vos bewogen flauwtjes.

Het was van meet af aan hopeloos. Zelfs als ze het op een hollen gezet hadden, hadden ze de bosrand nooit kunnen bereiken.

De paarden vormden een halve cirkel om hen heen.

De Vos was in alles het tegendeel van de Generaal. Een brede man, als uit hompen klei opgetrokken, in een te krap, glimmend en gebutst harnas. Zijn rode gezicht was bezweet.

'Ik neem aan dat je beseft dat je in vijandelijk gebied bent,' zei de Vos.

'We bevinden ons bijna op eigen territorium,' zei de soldaat.

'Bijna is niet helemaal.'

'Wij zoeken geen problemen.'

'Soms vinden problemen je zonder dat je ze zoekt,' zei de Vos weer.

De Vos wilde dat ze voor de doorgang naar het bos betaalden. In goud. De soldaat zei dat er geen goud was. En dat diefstal door de Hertog gezien zou worden als een oorlogsprovocatie. Of de Vos dat begreep.

De Vos lachte schamper. 'De Hertog? Je bedoelt dat halfzachte ei dat zijn bed niet meer durft uit te komen? Bang dat de hemel op zijn hoofd zal vallen?'

Hij liet zijn mannen de weinige bagage die ze meegenomen hadden doorzoeken. Zakken werden opengescheurd, ketels, potten en pannen omgekieperd.

'Ik zei toch al dat we geen goud hebben,' zei de soldaat weer.

'Vrouwen zijn ook goed,' zei de Vos met een blik op Feliz.

Sebastian zag hoe lijkbleek Feliz werd.

Waren ze nu maar meer doorgelopen! Hadden ze dat stomme kind maar niet op sleeptouw gehad. Dan hadden ze het woud op tijd bereikt! Of desnoods de Poortwachter. Ze hadden zich in de brede takken kunnen verschuilen.

Maar al kon Sebastian de takken van de stokoude eik zich in het pikzwarte water van het meertje zien uitstrekken; al kon hij zelfs in de waterspiegel een eekhoorn onderscheiden die razendsnel langs de stam omhoog flitste, de vijftig meter die hen van de boom scheidde hadden net zo goed vijfduizend meter kunnen zijn.

De soldaat van de Generaal deed wat hij moest doen. Niet dat het ook maar iets uitmaakte. Hij was geen partij voor de twintig soldaten.

Hij stierf zonder geluid.

De vrouwen werden bij elkaar gedreven als vee. Sebastian hoorde de grinnikende, schunnige opmerkingen van de soldaten. Feliz draaide zich wanhopig naar Sebastian om. Ze ving zijn blik. Haar lippen vormden zonder geluid twee woorden. Boom. Vlucht. Ze knikte onopvallend naar Oussidin.

Maar zelfs al had Sebastian het gekund, zelfs al had hij zijn zus kunnen verlaten, Oussidin wilde geen stap meer verzetten.

Ze leek aan de grond vastgegroeid en huilde. Niet op de manier waarop de kindheiligen van Grenoux huilden. Niet met het hoofd dramatisch naar de hemel gericht, of haar handen devoot gevouwen. Ze stond daar maar, klein, alledaags, terwijl haar ijsblauwe ogen overliepen. Ze schudde haar hoofd.

'Nee, nee,' zei ze zachtjes, bijna geluidloos.

Op dat moment gebeurde het. De aarde begon te trillen. Sebastian kon zich niet omdraaien maar hij voelde hoe er achter hem iets in beweging kwam. Hij hoorde geroffel, aarde opgeworpen worden en weer neerploffen. En hij zag hoe de Vos en zijn mannen naar iets achter hem staarden. Eerst waren ze nog alleen verbluft, toen werden hun ogen groot van verbijstering.

Het leger! Natuurlijk: het leger van de hertog! Godzijdank!

Het geluid van geroffel werd heviger.

Het naderde.

De schrik ging over in paniek en brak de keten van ruiters om de vrouwen. Feliz zag een opening en rende naar Sebastian. Ook op haar gezicht was verbijstering te zien.

Sebastian greep Oussidin, drukte haar op de grond. Feliz wierp zich naast hen en klampte zich vast. Ze schreeuwde iets, maar Sebastian kon haar niet verstaan.

Instinctief kneep hij zijn ogen dicht. Een harde, ruwe regen van aarde en kluiten kletterde op hem neer. Een merkwaardig luid gekreun klonk, gefluit en gekraak, alsof er een enorm schip door de lucht suisde. Iets zwiepte met een knallend geluid vlak langs hen heen en dreunde toen diep, diep in de aarde.

Hij hoorde de verschrikkelijke kreten van mannen

wier laatste uur geslagen had. Het gekrijs van gewonde paarden.

Het was verschrikkelijk.

Het viel achteraf moeilijk te zeggen hoe lang de aanval geduurd had. Toen Sebastian zijn ogen voorzichtig opende, verwachtte hij half dat de avond zou zijn gevallen, maar de zon scheen kalm in een hemel met schapenwolkjes.

De strijd was voorbij.

Het veld zag eruit alsof het omgewoeld was door een reuzenploeg. In de aarde lagen geen zaden van gerst of tarwe, maar lijken, mens en dier, half in de grond gedrukt. Handen klauwden in een afwerend gebaar omhoog.

Feliz kwam naast hem overeind. Haar verbijsterde gezicht zat onder de zwarte vegen, een lange, bloedende schram liep over haar wang. Haar lippen prevelden klappertandend, maar het duurde even voordat hij begreep wat ze zei.

'De boom!'

'Het is al goed,' zei Sebastian.

Feliz schudde verward haar hoofd. 'De boom!'

'We zijn al veilig,' zei Sebastian. Hij probeerde haar handen vast te pakken maar ze rukte zich los. 'Kijk dan, Feliz, de hertog...'

Hij keek om zich heen, draaide zich om. Toen stokten zijn woorden. Zijn ogen zochten de banieren en vaandels, de soldaten van Grenoux en hun paarden, maar ze vonden slechts het lege, uitgestrekte grasland.

Er was geen spoor van het leger.

Angele dei
qui custos es mei*

Verward draaide Sebastian zich om. Feliz was op haar knieën voor Oussidin gezakt en bad.

Me tibi commissum pietate superna
illumina, custodi, rege, et guberna
Amen†

Oussidins tranen waren gestokt en ze keek verwonderd om zich heen. Van achter haar schouder glinsterde en schitterde het meertje als een opgepoetst, gitzwart medaillon.

Het was pas toen dat hij het zag, maar het duurde nog zeker tien tellen voordat hij zag wat hij zag, voor het tot zijn hersens doordrong.

De boom was weg.

Daar waar de Poortwachter gestaan had, was nu alleen nog een diep gat vol omgewoelde aarde.

De boom stond vijftig meter verderop.

Onder zijn brede wortels, gekromd als de klauw van een enorme roofvogel, lag de Vos, in tweeën geknakt als een lemen pop onder het oeroude gewicht.

---

* Engel van God
  bewaarder van mijn lot
† Blijf voor altijd aan mijn zij
  verlicht, bewaar en geleid mij
  Amen

Oussidin zong een liedje. Het had geen duidelijke wijs, woorden had het ook niet.

Verantwoording

'Ver weg is dichtbij' verscheen eerder in *Twee beleefde dieven* (Amsterdam: Querido, 1996). De illustraties bij het verhaal zijn van Joke van Leeuwen.
'Lena's vakantie' is afkomstig uit *Het geheim van Lena Lijstje* (Amsterdam: Querido, 2003). De illustraties bij het verhaal zijn van Francine Oomen.
'Hoe het was' is afkomstig uit *Eend voor eend* (Amsterdam: Querido, 1983).
'Een bed voor de Chokydar' verscheen eerder in een iets andere vorm in *Een Kerstmis vol verhalen* (Amsterdam: Van Goor, 1991).

De afbeelding bij 'Amandines Grand Tour' is samengesteld uit een aantal foto's, en een deel is getekend. De man is samengesteld uit twee foto's: het lichaam is afkomstig uit de Collectie Library of Congress, v s/Harris & Ewing Photographs (gemaakt in 1914), het gezicht is afkomstig uit de Collectie powerhouse museum Australië (gemaakt tussen 1895 en 1905).